Chère lectrice,

On a beau faire, on n'e[illegible] é. Certains s'accrochent au leu[illegible] (que se passerait-il s'ils lâchaient ?), certains l'observent à la loupe (pour y découvrir quels secrets, quelles réponses ?), d'autres le fuient à toutes jambes ou à grands cris. J'en connais même qui partent à sa recherche et le réécrivent. En revanche, je ne connais personne, personne, qu'il laisse indifférent.

Et je ne fais pas exception. J'aime de tout mon cœur mon passé. Celui de mes sept ans, de mes dix-huit ans, de mes vingt-cinq ans… Je voue une tendresse infinie à mes vieux amis — ceux qui se rappellent, quand je dis : « Tu te souviens… ? ». Ma maison est encore habitée par le parfum de ma grand-mère (et ces charmantes petites chaises dont elle raffolait). Les sages paroles de mon grand-père perlent chacune de mes conversations. Et mon esprit résonne des mises en garde de ma mère.

Oui, j'aime de tout cœur mon passé… mais parce que je me sens libre de l'aimer. Aussi libre de l'aimer que de l'envoyer au diable. Ainsi, il m'arrive de donner l'une des charmantes petites chaises parce que, décidément, elle ne trouve plus sa place chez moi. Et d'ajouter aux sages paroles de mon grand-père quelques-unes de mes propres perles. Et d'envoyer un baiser à ma mère pour la remercier de m'avoir appris tant de choses… comme de penser par moi-même au lieu de suivre mot à mot ses principes !

Mais qu'adviendrait-il de moi si j'étais incapable de me délivrer de mon passé ? Que se passe-t-il quand le passé vous tient — pire, vous possède ? Qu'il est une prison, qu'il vous verrouille le cœur et vous empêche d'espérer, d'aimer, de vivre ?

Je vous souhaite, chère lectrice, d'être de celles qui conservent précieusement les charmantes petites chaises mais peuvent s'en défaire. D'envoyer de malicieux baisers à tous ceux que vous aimez chaque fois que vous bravez leurs recommandations. Et d'avoir un jardin qui résonne d'échos quand vous lancez : Tu te souviens ?…

Bonne lecture,

La responsable de collection

[illegible]

On a beau dire, on n'en a jamais vraiment fini avec le passé. [illegible]

[illegible]

[illegible]

[illegible]

[illegible]

[illegible]

[illegible]

Le pavillon d'été

KATHLEEN O'BRIEN

Le pavillon d'été

éMOTIONS

éditions Harlequin

Cet ouvrage a été publié en langue anglaise
sous le titre :
THE REDEMPTION OF MATTHEW QUINN

Traduction française de
ISABEL WOLFF-PERRY

Photos de couverture
Maison : © DAVID TEJADA / GETTY IMAGES
Femme : © PHOTODISC / GETTY IMAGES

83-85, boulevard Vincent-Auriol, 75013 PARIS — Tél. : 01 42 16 63 63
Service Lectrices — Tél. : 01 45 82 47 47
ISBN 2-280-07925-9 — ISSN 1768-773X

1.

A midi pile, heure à laquelle elle aurait dû dire « Oui », Natalie Granville se prélassait en Bikini sur la terrasse délabrée de son manoir tout aussi délabré.

A travers la double porte ouverte du fumoir, elle écoutait, d'une oreille distraite, les messages se succéder sur son répondeur téléphonique.

Une bonne dizaine de personnes l'avaient déjà appelée, pour prendre de ses nouvelles.

Leurs messages variaient dans leur contenu : certains lui demandaient précautionneusement si « elle éprouvait le besoin de parler », d'autres étaient plus directs. Avec son franc-parler habituel, l'aîné de ses cousins, Granville Frome, était allé droit au but. « Où es-tu, fillette ? » avait-il bougonné. « Si jamais j'apprends que tu te terres, pour pouvoir pleurer à ton aise, je ne donne pas cher de la peau de ce fumier ! »

Natalie les ignora tous avec superbe.

Quand on s'appelait Granville, on n'avait besoin de la mansuétude de personne.

Se hissant sur la large rampe de marbre, elle s'étendit prudemment, de manière à exposer au soleil son corps tout entier. Après avoir appliqué une couche d'écran total sur l'arête de son nez, là où ces fichues taches de rousseur aimaient tant s'installer, elle posa la bouteille de *Jack Daniel's* en équilibre sur son ventre, et continua de se délecter de cette journée splendide... qui aurait dû être celle de ses noces.

Puis elle relut la drôle de liste qu'elle avait dressée et qui s'intitulait : *Dix choses à faire... avant de ne pas se marier.*

10. Evitez les coups de fil apitoyés de vos amis et parents inquiets : c'est *vous* qui avez annulé la cérémonie.

9. Evitez toute visite des mêmes amis et parents inquiets.

8. Trouvez une fonction de rechange à cette robe de mariée que vous ne porterez jamais. (Drapez-en donc la statue de votre jardin)

7. Ne portez pas de blanc, sauf si vos vêtements ne ressemblent ni de près ni de loin à une tenue de noces.

6. Buvez « jusqu'à plus soif », de manière à calmer vos nerfs, si rudement mis à l'épreuve par votre décision. (Et laissez le champagne à tous ceux qui souhaitent vraiment se marier.)

5. Ne vous en laissez pas conter... Vous n'êtes pas amère : vous avez rompu parce que vous alliez vous marier pour de très mauvaises raisons.

4. Renvoyez à votre ex-fiancé les cadeaux dont il vous a couverte. (Ainsi, on ne vous accusera pas d'avoir acquis autre chose que de l'expérience, dans cette histoire.)

3. Faites toutes les bêtises possibles et imaginables sans craindre les bavardages. De toute manière, en ville, on ne parle déjà que de vous.

2. Faites la fête : vous venez d'échapper au pire et ce n'est que d'extrême justesse que vous avez sauvé votre peau.

1. En priorité des priorités, embauchez le type remarquable — même inconnu et chargé d'un passé obscur — qui viendra certainement sonner à votre porte suite à votre annonce...

Au-dessus d'elle, le ciel bleu était parsemé de nuages dentelés. L'atmosphère qui l'entourait semblait crépiter et, du haut de leurs arbres, les oiseaux poussaient une chansonnette à l'eau de rose.

En fait, confia-t-elle à sa bouteille, si elle voulait être honnête — et l'honnêteté des Granville était à toute épreuve —, elle devait bien admettre que c'eût été un jour parfait, pour se marier.

Un sourire se dessina sur ses lèvres quelque peu engourdies. Allons… Qui essayait-elle de duper ? C'était le jour rêvé pour ne pas épouser !

Aïe ! Son grand-père n'aurait pas apprécié la formulation. De tout temps, les Granville avaient été pointilleux sur les questions de linguistique.

Levant la bouteille au-dessus d'elle, sans tourner la tête toutefois, elle s'excusa auprès du portrait ombrageux, accroché sur le mur du fumoir.

— Désolée, Grand-Pap ! On dirait que je transgresse toutes les règles, aujourd'hui !

Jamais elle ne se serait permis de l'appeler « Grand-Pap » non plus, s'il n'était pas mort près de cinq ans plus tôt… et si elle n'avait pas absorbé tout ce *Jack Daniel's.*

Une voix masculine se fit entendre, montant de l'allée qui serpentait, au-dessous du jardin suspendu.

— Hm ! Excusez-moi… J'ai ici un colis pour Mlle Natalie Granville.

Natalie se redressa prudemment, s'accrochant à la rampe comme s'il s'agissait d'une monture de marbre.

— C'est moi ! répondit-elle poliment.

Ciel ! La position était quelque peu instable et l'homme la dévisageait d'un air intrigué.

De plus, elle ne savait que faire de sa bouteille de *Jack Daniel's.* Ne voulant pas risquer de la casser en la faisant tomber, elle commença par la serrer contre son flanc. Toutefois, ce geste lui parut soudain extrêmement inhospitalier et elle la tendit devant elle.

— Vous en voulez ?

L'homme, un véritable gamin, en fait, rougit violemment.

— Non, merci, répondit-il précipitamment. Si vous voulez bien me signer ce reçu..., ajouta-t-il en lui tendant un large colis plat.

Natalie examina l'emballage, qui ne ressemblait en rien à ceux qu'elle recevait habituellement pour la pépinière qu'elle dirigeait du fond de sa serre. Il était bien trop plat, trop féminin, trop raffiné.

Elle fronça les sourcils. Certes, ce *Jack Daniel's* était délicieux. Cependant, elle devait bien reconnaître qu'il n'aidait pas vraiment à la réflexion, et elle ne parvenait pas à se rappeler si elle attendait un colis ou non.

— Je... Vous voulez bien signer ? C'est pour vous. Ça provient de la boutique *Fleurs d'Oranger.*

Natalie sentit ses épaules s'affaisser. Le colis contenait... sa robe de mariée.

Elle ferma les yeux et agita vaguement la bouteille à moitié vide devant elle.

— Je n'en veux pas, déclara-t-elle. Vous ne pouvez pas la jeter à la poubelle, en repartant ?

— Heu... Ça me paraît difficile !

L'adolescent commençait à être terriblement mal à l'aise. Il déposa le paquet sur la rampe, avec les gestes lents, comme s'il venait de découvrir qu'il contenait de la nitroglycérine.

— Ecoutez, reprit-il. Je la laisse là, d'accord ? Ici même.

Natalie laissa échapper un gros soupir et avala une nouvelle gorgée de *Jack Daniel's.*

Bu à même la bouteille, ainsi, le liquide était si fort qu'il lui brûla l'œsophage. Elle frissonna.

C'était divin !

Elle s'essuya la bouche et gratifia son interlocuteur d'un sourire radieux.

— Comme vous voudrez !

La bouteille coincée sous son coude, elle se pencha, signa le reçu et entreprit d'ouvrir le colis.

— C'est ma robe de mariée, déclara-t-elle d'un ton anodin. Ou du moins, c'est ma robe de non-mariée… Aujourd'hui est le jour de mes non-noces, vous comprenez ? Je n'ai plus besoin de cette robe, seulement ils n'ont pas voulu me rembourser. C'est plutôt mesquin, vous ne trouvez pas ? Je voulais me marier parce que j'avais vraiment besoin d'argent et voilà que…

Mais le jeune livreur avait disparu. Natalie scruta la propriété vide, les hectares de jardins autrefois si luxuriants, et soupira de nouveau.

Il n'avait même pas attendu son pourboire. Ignorait-il donc que les Granville donnaient toujours des pourboires royaux ? C'était même pour cela qu'ils étaient constamment fauchés.

Ça et le jeu, bien sûr…

Et les femmes… Et le manoir.

Toujours ce manoir. Cette demeure énorme, complètement folle, et qui tombait en ruine, tel un monstre constamment affamé.

Natalie déplia la toilette et lissa les plis qui s'étaient formés sur la dentelle blanche. Elle n'était pas mal, cette robe, même si elle n'avait rien d'exceptionnel.

Natalie s'était rabattue sur la moins chère de toutes, encore qu'à ses yeux, toutes étaient hors de prix. C'était le problème, lorsqu'on vivait dans une communauté aussi riche que Firefly

Glen. Les prix se déclinaient en trois catégories : élevés, très élevés et carrément astronomiques.

Elle posa contre sa poitrine le corset brodé de perles, et essaya de s'imaginer dedans.

En vain.

Descendant de la rampe, elle réessaya. Cette fois, elle laissa la jupe retomber sur ses chevilles. Elle plongea en avant, dans l'espoir de retrouver le sentiment qu'elle éprouvait lorsque, enfant, elle dévalisait les malles du grenier, pour jouer les princesses en détresse. A l'époque, elle allait jusqu'à la fenêtre du grenier, avec sa traîne de dentelle, pour contempler son royaume en fleurs.

Dans son esprit de fillette de dix ans, elle voyait alors son prince charmant arriver au galop. Parfois, il s'agissait d'un preux chevalier ou d'un noble écuyer. Toutefois, dans son fantasme préféré, deux *moiseaux* se précipitaient à son secours. Elle avait entendu cette expression, sans avoir aucune idée de ce qu'elle signifiait, et avait été fort déçue, quelques années plus tard, d'apprendre ce qu'était, en vérité, un *da*moiseau.

La robe toujours serrée contre elle, elle retourna sur le balcon et s'absorba dans la contemplation du terrain entourant les vestiges du *Pavillon d'Eté* et, au-delà, de l'endroit où la montagne surplombait le petit royaume de Firefly Glen.

Hélas, nul prince ne bravait les dangers de ce passage de montagne, périlleux et plein d'épines. Rien ne poudroyait à l'horizon…

Même la fourgonnette du livreur avait disparu, et depuis bien longtemps.

Tenant sa robe à bout de bras, elle lui fit les gros yeux. Cette petite chose avait beau valoir près de cinq cents dollars, elle ne contenait pas un sou de magie.

— Nat ? Tu es là ?

Encore ce répondeur. C'était Stuart, qui avait déjà appelé à trois reprises.

— Tu veux que je vienne te chercher pour t'emmener déjeuner ? Ne reste donc pas seule à te lamenter sur ton sort !

La jeune femme tira la langue en direction de la machine, avant d'ingérer une nouvelle gorgée de *Jack Daniel's.*

Quel culot ! Elle passait un après-midi agréable, toute seule, et rien d'autre ! Par ailleurs, les Granville ne se lamentaient jamais sur leur sort !

Elle aurait dû se marier ce jour-là, et alors ? Elle avait annulé deux semaines auparavant. Elle avait tout simplement conseillé à Bart Beswick d'aller se faire voir, avec ses mains baladeuses, ses bisous mouillés et son énorme compte en banque.

En tant que Granville, elle ne pouvait se vendre au plus offrant.

Bart avait été surpris, sans être effondré, toutefois. Il briguait son nom et sa propriété, et avait présumé que la jeune femme ne serait que trop heureuse de bénéficier de sa fortune, en retour.

Malheureusement pour lui, il avait oublié la véritable signification du patronyme prestigieux, si convoité.

De tout temps, les Granville avaient choisi la liberté. Une liberté qu'ils avaient payée fort cher. Peut-être avaient-ils tous souhaité qu'un jour ou l'autre, le prince tant espéré viendrait à bout de ces montagnes — mais ils n'étaient jamais restés assis, les bras croisés, à attendre que cela se produise.

— Moi, m'ap-pitoyer sur mon sort ? Jamais !

Et si elle avait un peu bafouillé en prononçant les mots « m'apitoyer », personne ne l'avait entendue. Dans quelques minutes, elle rentrerait dans la maison, se ferait un café bien fort et retournerait arracher le papier peint, constellé de taches de rouille, dans la chambre Bleue. Elle irait également voir si un quelconque « homme à tout faire » avait répondu à sa petite annonce.

Que oui ! Elle allait s'occuper. D'ici à une minute ou deux…

Enfin… Elle n'allait pas tarder.

La robe enroulée autour de son bras, elle s'appuya des deux coudes sur la rampe abîmée et contempla la longue pente déserte descendant des jardins suspendus.

Puis, en digne héritière des Granville, elle oublia ses bonnes résolutions et continua de rêvasser, imaginant des fleurs là où il n'y en avait pas eu en dix années d'abandon total.

Puis, elle ferma les yeux.

Et, tout en lézardant, elle crut percevoir, par-dessus le chant des oiseaux et le sifflement de la brise, le bruit saccadé de sabots galopant au loin…

Matthew Quinn arracha le petit morceau de papier prédécoupé, sous l'annonce demandant un « homme à tout faire », et l'examina soigneusement avant de le ranger dans sa poche. L'annonce avait été rédigée à la main, d'une écriture excentrique, bien que légèrement tremblante.

« Pavillon d'Eté, 717 Chemin du Pin bleu. »

Suivait un numéro de téléphone.

« Pavillon d'Eté ».

A en juger par l'écriture, la propriétaire devait être une veuve d'environ quatre-vingts ans, aux cheveux argentés.

A coup sûr, elle se ferait une joie de préparer, pour son employé, un thé léger, accompagné de biscuits secs… sans jamais, cependant, l'inviter à pénétrer dans son manoir victorien, qui sentait probablement le renfermé, était sans doute encombré de mille souvenirs, et devait être mal éclairé.

Surtout si elle apprenait que ledit employé venait de sortir de prison.

Elle avait fixé son annonce sur le panneau communal, à l'extérieur de la mairie de Firefly Glen. Les autres avis proposaient un week-end typique des petites villes américaines : le Club d'astronomie invitait ses membres à participer à une Nuit des étoiles, les pêcheurs à la mouche organisaient leur concours annuel, le Club des femmes de Firefly Glen lançait une opération « nettoyage de voitures et bateaux » et l'Eglise Congrégationaliste prévoyait un barbecue suivi d'un vide-grenier.

Au milieu de tout cela, bien en évidence, la photo d'un terrier écossais portait l'inscription suivante :

« Rob Roy s'est encore enfui… Si vous le voyez, surtout, prévenez-moi immédiatement. Merci, Théo. »

Apparemment, tout le monde connaissait Théo.

Tout le monde… sauf Matthew.

Du haut de la rue principale, il examina la rangée de boutiques aussi désuètes que cossues. Quelques bannières étoilées voletaient sous la brise. Des fleurs jaunes s'épanouissaient çà et là. Les vitres étincelaient au soleil estival.

Soudain, il se sentit étrangement paralysé. Il avait l'impression d'être devant un décor de théâtre, fait de carton-pâte, escamotable, et derrière lequel il trouverait immanquablement la cour d'une prison, mangée par les mauvaises herbes.

Il commençait à se demander s'il ne s'était pas fourvoyé. Pourrait-il jamais trouver sa place, dans un endroit pareil ? Il avait choisi cette destination trois ans auparavant, durant son premier mois d'incarcération. A l'époque, il avait passé de longues heures à veiller, examinant la carte de l'Etat de New York, se représentant la ville où il irait lorsqu'il serait enfin libéré.

Au début, il n'avait pas remarqué Firefly Glen, tant la localité était petite. Mais une fois qu'il l'avait repérée, elle était devenue une obsession... Un symbole. Il ne pouvait décemment se produire quoi que ce soit de négatif, dans un endroit appelé Firefly Glen.

Firefly Glen... « La vallée aux lucioles »...

L'air y serait pur, les sourires chaleureux, la nourriture saine et les plaisirs simples... En bref, il s'attendait à y retrouver les petits bonheurs de la vie, ceux qu'on vous oblige à abandonner, avec le contenu de vos poches, à votre arrivée en prison.

Néanmoins, à présent qu'il avait atteint son but et que Firefly Glen n'était plus un symbole mais une réalité, il se sentait complètement déplacé.

Peut-être la prison l'avait-elle trop changé. Peut-être ne croyait-il plus en l'imagerie populaire américaine...

— Bonjour ! Vous avez l'air perdu. Je peux vous aider ?

Matthew leva les yeux. Malgré son ton affable, l'inconnu le dévisageait avec attention et une certaine méfiance.

— Harry Dunbar. Je suis le shérif de Firefly Glen, ajouta-t-il en désignant du pouce l'étoile dorée accrochée au revers de sa veste.

Soudain, il chancela. Un deuxième homme venait de se heurter violemment à lui.

— Excuse-moi, Harry !

L'homme tenait un troisième larron, par le col.

— Boxer a quelques difficultés à marcher droit, ce matin.

— Tu m'étonnes ! grommela le shérif. Comme tous les samedis !

S'apercevant de la présence de Matthew, le deuxième homme lui tendit sa main libre, lâchant momentanément le vieillard au regard trouble qu'il guidait.

— Bonjour ! Je me présente : Parker Tremaine.

Comment était-il possible que les habitants de cette ville soient aussi chaleureux ?

Matthew, qui avait toujours vécu à New York, ne s'était pas attendu à un tel accueil. A moins, bien entendu, que ce Parker soit l'adjoint au shérif et que tous deux le jaugent, afin de déterminer s'il était le bienvenu ou s'il constituait une menace à leur petit paradis ?

Toutefois, en serrant la main de Parker, Matthew vit, à un certain nombre de détails, que l'homme ne travaillait pas au service de l'Etat. Il appartenait même à un genre complètement différent. Il portait un costume d'affaires extrêmement chic, un costume qui en disait long sur le personnage : élégance, discrétion et éducation.

Oui, il connaissait ce genre d'hommes. Il avait appartenu à leur grande fratrie, autrefois. Trois ans plus tôt, il portait ce style de vêtements, avait la même manière de se déplacer, souriait à son monde avec la même assurance.

Trois petites années... qui lui paraissaient désormais une éternité.

— J'espère que tu ne vas pas verbaliser ce pauvre garçon, sous prétexte qu'il est mal garé, Harry !

Se tournant vers Matthew, il lui sourit d'un air radieux.

— Harry prend son boulot très au sérieux. Enfin... Ne vous en faites pas. Je vais vous tirer d'affaire.

Matthew grimaça et son regard se dirigea instinctivement vers la chaussée. Il n'avait vu aucun panneau d'interdiction de stationner. Il ne s'aventurait plus à enfreindre la moindre loi. Il respectait les limites de vitesses, ne changeait jamais de voie sans mettre son clignotant... Il n'osait même plus traverser la chaussée en dehors des passages protégés.

Le shérif sourit, lui aussi, du coin des lèvres.

— Parker fait son malin, annonça-t-il. Ne l'écoutez pas ! Le trait de peinture, qui interdisait le stationnement en cet endroit précis, a disparu il y a des années de cela. Je n'arrive ni à le faire rafraîchir par l'équipe d'entretien municipale, ni à obtenir de la mairie qu'elle crache un peu d'argent pour mettre un panneau neuf... Dis-moi, Parker... Tu ne pourrais pas ramener Boxer chez lui ? Une bonne douche ne lui ferait pas de mal. Il commence à sentir, par cette chaleur !

Parker fronça les sourcils et se retourna.

— Au fait ! Où est-il passé ?

Il passa rapidement les environs en revue et son regard s'arrêta sur le terrain bordant le bureau du shérif. L'ivrogne s'y était affalé.

— Et c'est reparti... Il ne manquait plus que ça...

Il soupira puis, se retournant vers Matthew, le considéra avec une affabilité sincère.

— Bienvenue à Firefly Glen ! On ne s'ennuie pas, ici, croyez-moi ! Je suis l'unique avocat de cette bourgade, et ce type, avachi sur le trottoir, n'est qu'un échantillon de nos extravagants multimillionnaires adorés !

Matthew jeta un coup d'œil en direction du poivrot en haillons, appuyé contre le mur du bâtiment.

« Boxer » s'était mis à chantonner à mi-voix, dirigeant, de l'index gauche, un orchestre imaginaire. Avec son œil poché et ses cheveux en bataille, il n'évoquait, ni de près ni de loin, un millionnaire quelconque. Sans compter qu'il sentait effectivement très mauvais.

— Allez. Ote-le de ma vue, avant que je le remette en cellule de dégrisement !

Pivotant sur ses talons, le shérif se remit à examiner Matthew avec méfiance.

— Alors ? Vous êtes perdu ou non ? Je peux vous aider ?

Matthew envisagea un instant de lui demander la direction du Chemin du Pin Bleu, et, au dernier moment, décida de n'en rien faire. Si les deux hommes lui paraissent cordiaux, en prison, le jeune homme avait pris l'habitude de ne rien dire à personne, par principe. De toute évidence, ce goût du secret allait lui rester, tout comme l'odeur de la mauvaise soupe et celle, plus entêtante, des désinfectants utilisés dans le pénitencier.

— Non, je vous remercie, répondit-il en s'efforçant de regarder Harry Dunbar dans les yeux.

S'il voulait passer l'été ici, autant se faire des amis parmi les autochtones.

C'est à ce moment qu'il se rendit compte qu'il avait pris sa décision. S'il parvenait à trouver du travail, c'est ici qu'il passerait l'été. Il n'était pas tombé sur une ville d'opérette, avec des rues pavées d'argent, et Firefly Glen n'était pas un paradis, dont les gens comme lui étaient bannis à jamais. Il ne s'agissait que d'une bourgade plutôt ordinaire, parmi tant d'autres. Avec son shérif bougon, ses alcoolos du vendredi soir, ses élus inefficaces, ses avocats policés et ses chiens égarés, la ville était semblable à la centaine d'autres bourgades qui jalonnaient l'Etat de New York.

De plus, certaines demeures avaient visiblement besoin d'êtres rénovées. Matthew était doué pour ce genre de choses. Etudiant, il avait passé tous ses étés un marteau à la main et il pouvait bien occuper la saison qui s'annonçait de la même manière.

— Je regardais, c'est tout, expliqua-t-il d'un ton ferme. J'ai l'intention de passer l'été ici.

Le shérif fronça les sourcils. Visiblement, l'explication ne lui suffisait pas. Fort heureusement, Parker Tremaine choisit ce moment pour laisser échapper un juron.

— Harry ! Regarde-moi ça ! s'exclama-t-il en désignant le panneau communal. J'avais pourtant formellement déconseillé à Natalie de donner son adresse, sur cette annonce. Tu crois qu'elle m'aurait écouté ?

Matthew se demanda quelle aurait été la réaction de l'avocat s'il avait su qu'une des bandelettes de papier se trouvait présentement dans une de ses poches.

— Tu plaisantes ?

S'avançant du panneau à grands pas, le shérif entreprit de lire l'annonce incriminée. Puis, en maugréant, il l'arracha d'un geste rageur, avant de la chiffonner entre ses poings.

— Misère ! Je n'ai plus qu'à parcourir la ville pour les arracher toutes, à présent ! Si tu veux mon avis, Parker, bien que les Granville aient toujours été d'une naïveté déconcertante, Natalie bat tous les records !

Un brouhaha s'éleva subitement du coin où « Boxer » s'était écroulé.

— Natalie Granville est une femme adorable et je me fais fort de botter les fesses de celui qui osera prétendre le contraire ! éructa le vieil homme en essayant de se relever.

— En fait, j'ai bien envie de te les botter, de toute façon, Dunbar ! ajouta-t-il, foudroyant le shérif du regard. Ne serait-ce que pour avoir prononcé son nom sur ce ton !

— Parker..., commença le shérif, d'un ton sec.

— Je sais, je sais ! Je l'emmène tout de suite. Donne-moi un coup de main, tu veux bien ?

Profitant que les deux citoyens, si civilisés, s'efforçaient de remettre le vieux poivrot sur ses pieds, Matthew saisit sa chance. Personne ne le vit monter dans sa voiture et s'éloigner. Personne ne lui demanda où il allait, et cela tombait bien car il n'aurait pas répondu.

Il avait l'intention d'aller trouver cette Natalie Granville. Il lui dirait la vérité à son sujet, et il lui demanderait du travail. Elle était peut-être suffisamment naïve pour croire à la loyauté, la justice, et pour lui donner une seconde chance

— valeurs qui, il en était convaincu, seraient considérées comme totalement stupides par le shérif soupçonneux.

Soudain pressé, Matthew appuya sur l'accélérateur.

Là était peut-être la raison pour laquelle il avait fixé son choix sur Firefly Glen : Natalie Granville —, avec ses cheveux argentés, adorable, au point de faire le désespoir du shérif cynique et de fasciner les poivrots irascibles —, Natalie Granville devait être la réponse à des prières que Matthew ne se souvenait pas avoir formulées.

2.

Pavillon d'Eté, indiquait la plaque de cuivre discrète, insérée dans le haut pilier de pierre, à l'entrée.

Et la plaque était loin de décrire la vérité.

Le *Pavillon d'Eté* n'était pas un simple pavillon. C'était une véritable villa romaine, une propriété somptueuse, digne d'un prince déchu. Une véritable fantaisie baroque que ce mélange de marbre rose, de terre cuite rouge et de *pietra serena* grise ; que cette orgie d'arcades, de fioritures diverses, de loggias, de sculptures et de cages d'escaliers descendant vers des jardins ombragés.

Abandonnant sa voiture devant le portail, Matthew, totalement fasciné, entreprit de remonter à pied l'interminable allée.

Le *Pavillon d'Eté* n'avait pas sa place parmi les bouleaux et les forêts de pins, typiques des monts Adirondack. On l'imaginait mieux surplombant les collines de l'Italie d'antan, où les citronniers croissaient dans d'énormes pots d'argile et où les oliviers luisaient sous le soleil de Toscane.

Et pourtant, c'était ici qu'il avait été érigé.

Ici, au nord de l'Etat de New York. Légèrement farfelu, d'une beauté extraordinaire… et tombant littéralement en ruine.

Car si Matthew, qui avait enfin atteint la porte d'entrée, n'était pas expert en la matière, loin s'en fallait, tout, autour de lui, criait la décadence.

Une bonne demi-douzaine de vitres brisées, sur les deux niveaux, ne tenaient plus que grâce à du ruban adhésif. Les murs de pierre étaient, par endroits, couverts de rouille. En d'autres, ils tombaient en poussière. De nombreuses statues avaient perdu leur nez, l'extrémité de leurs doigts ou d'autres parties proéminentes de leurs corps.

Enfin, Dame Nature — qui, par le passé, avait de toute évidence été bannie de ces jardins italiens par des bataillons de paysagistes — reprenait ses droits, grignotant du terrain, centimètre par centimètre.

Personne ne répondit à son coup de sonnette. Peut-être même ne fonctionnait-elle pas. Il voulut recourir au heurtoir de cuivre ciselé mais, au moment où il s'en emparait, l'objet se détacha d'un côté et une vis desserrée tomba à terre.

Il la ramassa et, bien qu'elle soit presque lisse, parvint à la remettre en place, du moins temporairement. Il recula d'un pas, écrasant du même coup un petit morceau de verre brisé. Il voulut se baisser pour en récupérer les éclats, s'appuya sur un épi de faîtage en terre cuite qui bascula sur son socle, menaçant de chuter lui aussi.

Matthew parvint à le rattraper au vol et à le redresser tout en regardant autour de lui, de plus en plus dubitatif.

Cet endroit était complètement délabré et il ne se sentait pas qualifié pour réparer de tels dégâts.

Si Natalie Granville était la réponse à ses prières, lui n'était décidément pas le genre d'homme qu'elle recherchait. Car ce n'était pas d'un homme à tout faire, qu'elle avait besoin : c'était d'un miracle !

Presque soulagé qu'on ne lui ait pas ouvert la porte, il décida de regagner sa voiture et…

Un chant mélodieux, presque féerique, s'éleva subitement de l'aile Est de la bâtisse. La vieille demoiselle, sans doute… L'adorable et naïve Natalie Granville…

Malgré lui, il suivit le son, évitant les dalles fendues, avec les mauvaises herbes qui poussaient entre leurs fissures, ignorant le regard fixe des statuettes estropiées, alignées dans l'allée, tels de petits soldats blessés ayant perdu leur guerre contre le délabrement.

Il atteignait le coin de la bâtisse lorsque la brise fit frémir quelque chose de blanc et souple, évoquant une rivière de dentelle. Perplexe, Matthew plissa les yeux. On aurait dit un voile de mariée fantasmagorique.

Intrigué, il se rapprocha. C'était bel et bien un voile de mariée. Une femme se tenait debout, à l'extrémité d'une large terrasse, à l'arrière de la demeure. Elle portait une longue robe blanche et son visage était recouvert du délicat morceau de tulle, qui voletait sous le vent.

Pourtant, il ne s'agissait nullement d'une femme en chair et en os. Matthew était face à une statue de marbre, aussi rigide que silencieuse.

Il cligna des yeux et, toujours perdu dans sa contemplation, entendit de nouveau le chant, tout près de lui. Une incrédulité certaine, alliée à un sentiment d'étrangeté, s'empara de lui. Il songea à Ulysse, attiré par le chant des sirènes, sans pouvoir, toutefois, s'empêcher d'aller de l'avant.

Les yeux rivés sur la mariée de marbre, il contourna le coin de la demeure.

Et là, enfin, la femme de chair et de sang lui apparut. Une beauté blonde, vêtue, en tout et pour tout, d'un Bikini blanc, et qui déambulait sur la balustrade en chantant joyeusement, tout en mettant un de ses pieds nus devant l'autre.

Il était suffisamment proche, à présent, pour pouvoir apprécier sa voix en dépit de son élocution, loin d'être claire.

C'est alors qu'il remarqua la bouteille de *Jack Daniel's* qu'elle tenait d'une main, comme pour garder l'équilibre.

Certes, la balustrade était large d'au moins cinquante centimètres ; toutefois, la rouille la faisait paraître fort glissante, par endroits. Sans compter que, de toute évidence, la jeune femme était grise comme un oiseau qui s'est gorgé de raisin. La voyant tituber légèrement, il accéléra la cadence. Elle vacilla encore quelques secondes, lui donnant tout juste le temps d'atteindre le balcon.

La bouteille s'écrasa sur la terrasse, volant en éclats. Une fraction de seconde plus tard, la jeune femme tombait de l'autre côté, atterrissant tout droit dans les bras tendus de Matthew.

L'espace d'un instant, elle resta bouche bée, le dévisageant, les yeux grands ouverts, aussi choquée que sidérée. Puis, par réflexe, elle lui passa les bras autour du cou, le visage si près du sien qu'il parvint à compter les taches de rousseur réparties sur l'arête de son nez.

Il y en avait six.

Elle lui parut terriblement légère. Elle ne devait pas mesurer plus d'un mètre soixante, et sa chevelure blonde, ébouriffée, tombait en cascade. Sa peau, huilée et chaude, fleurait la noix de coco.

Matthew se rendit soudain compte qu'elle était à moitié nue. Il aurait été plus sage de la remettre sur pieds, mais elle avait toujours les bras enroulés autour de sa nuque, de sorte que cela lui parut difficile.

La jeune femme finit par recouvrer l'usage de la parole.

— Ciel ! s'exclama-t-elle. Heureusement que vous m'avez rattrapée au vol !

— Oui ! convint Matthew, amusé.

— J'aurais pu me casser quelque chose… Je ne sais pas, moi ! Une jambe ou un bras… J'aurais même pu me rompre le cou, ajouta-t-elle, les yeux de plus en plus ronds. Exactement comme mon grand-père me le prédisait !

— Oui, répéta-t-il, bien qu'il en doutât sérieusement.

Elle n'était pas tombée de haut et, ivre comme elle l'était, elle aurait probablement atterri mollement sur l'herbe, sans se faire le moindre mal.

— C'est une bonne chose que vous vous soyez trouvé là, je suppose !

— Je le suppose aussi.

Elle acquiesça avec le sérieux de quelqu'un qui vient d'établir un fait important. Puis, avec un petit soupir, elle laissa tomber sa tête sur la poitrine de Matthew.

… Pour la relever aussitôt.

— Attendez ! s'exclama-t-elle, réfléchissant si intensément que son front se plissa. Que faisiez-vous là, au juste ?

Matthew débattit intérieurement. Comme il ne souhaitait plus postuler pour l'emploi d'homme à tout faire, mieux valait sûrement ne pas l'évoquer. D'un autre côté, il ne voulait pas qu'elle le prenne pour un vulgaire rôdeur, venu l'épier.

Il examina ses yeux voilés. Ses pupilles avaient une belle couleur chocolat. Elle était jeune, extrêmement belle, et il prit subitement conscience de la chaleur de ses seins contre son torse.

Gêné, il s'éclaircit la gorge.

— Vous tenez suffisamment bien debout pour que je vous lâche ?

— Bien sûr !

Elle l'aida à se détacher de lui et s'en sortit à peu près bien, si ce n'est qu'elle dut faire quelques pas, avant de recouvrer son équilibre. A en juger par ses sourcils froncés, elle s'efforçait également de ne pas perdre le fil de ses pensées.

— Vous étiez sur le point de m'expliquer…

Le mieux était encore de dire la vérité. Elle avait parlé d'un grand-père, qui ne devait pas voir les intrus d'un très bon œil.

— J'ai vu une annonce demandant un homme à tout faire, annonça Matthew. Je voulais postuler.

La jeune femme pencha la tête sur le côté.

— Vraiment ? Vous n'avez pas le physique de l'emploi !

Soudain, elle rougit et se frappa le front de la paume de la main.

— Excusez-moi... C'est vraiment idiot, ce que je viens de dire ! Comme s'il y avait un physique d'homme à tout faire ! Seulement, vous semblez tellement...

Elle le dévisagea, se mordillant la lèvre inférieure.

— Je sais ! C'est votre odeur. Vous sentez merveilleusement bon, alors que Darryl, par exemple, me rappelait toujours un hamburger resté trop longtemps au réfrigérateur ! Vous voyez ce que je veux dire ? s'enquit-elle en fronçant le nez.

Matthew ne put s'empêcher de s'esclaffer.

— Je suppose que Darryl était homme à tout faire, lui aussi ?

— Le dernier en date... J'ai dû me séparer de lui. Et comme, bien sûr, je ne pouvais pas lui dire qu'il sentait trop mauvais, je lui ai fait croire que je terminerais le boulot moi-même..., soupira-t-elle en embrassant du regard la propriété.

Matthew prit subitement conscience de ce que la jeune femme parlait à la première personne. « *J'ai* dû me débarrasser de lui »...« *Je* lui ai fait croire ». Etait-il possible que cette délicieuse jeune femme soit Natalie Granville en personne ? La propriétaire de ce manoir étrange, la gardienne de toute cette gloire passée ?

C'était tout bonnement impensable. Elle paraissait tellement jeune... Elle lui évoquait plutôt une étudiante célébrant le début des vacances d'été en prenant un bain de soleil quelque peu arrosé.

— C'est votre maison ?

Elle hocha la tête.

— Malheureusement, oui. Je suis Natalie Granville, la dernière du nom et l'heureuse propriétaire du tas de ruines que vous avez devant vous. Et je suis désolée de vous être tombée dans les bras ainsi… Cela dit, ajouta-t-elle avec un sourire radieux, vous venez de prouver vos capacités d'homme à tout faire et je vous remercie !

— Tout le plaisir a été pour moi ! Je m'appelle Matthew Quinn, répondit-il en lui tendant la main.

— Enchantée, Matthew ! Je vous embauche !

La première pensée qui lui vint à l'esprit fut que le shérif avait entièrement raison. La naïveté de Natalie Granville la perdrait. Elle était prête à l'embaucher sans savoir le moins du monde à qui elle avait affaire… Sans lui avoir posé une seule question, sans lui avoir demandé la moindre référence. Elle ignorait même s'il était capable de distinguer une tenaille d'une clé anglaise.

Il aurait pu être le dernier des manchots… Ou même Jack l'Eventreur.

Toutefois, il s'aperçut bien vite, et contre toute raison, qu'il regrettait de ne pouvoir accepter. Il y avait quelque chose d'inexplicablement attirant en elle, et ce n'était pas seulement lié à ce Bikini qui épousait merveilleusement ses formes parfaites.

— J'ai décidé de ne pas postuler, finalement… Je ne serais pas à la hauteur.

La jeune femme se renfrogna.

— Ne dites pas cela ! Au contraire ! Vous êtes exactement l'homme de la situation !

— Je vous assure qu'il n'en est rien. Voyez-vous, l'annonce ne décrivait pas l'ampleur des dégâts. Je sais comment m'y prendre avec la peinture, le replâtrage des murs… Je suis capable de remplacer une gouttière, de réparer une fuite, un siphon, des choses comme ça… Seulement cette…

— J'ai des siphons qui fuient plein la maison, coupa-t-elle en désespoir de cause.

Matthew ayant levé un sourcil, elle reprit en soupirant.

— Le toit fuit, lui aussi… Et il y a des infiltrations dans les fondations. Sans compter, bien sûr, l'eau qui a déserté la piscine, il y a des années de cela, et qui doit bien stagner quelque part…

— Je suis vraiment désolé. J'aimerais pouvoir vous aider…

— Vous le pouvez ! Je sais bien qu'il s'agit d'un travail de titan. Vous ferez ce que vous pouvez, voilà tout ! Votre prix sera le mien… Enfin, rectifia-t-elle en se mordant la lèvre inférieure, ce n'est pas tout à fait vrai… Je ne peux pas vous promettre une chose pareille… Comme vous l'avez sans doute remarqué, cette maison est un gouffre. Cependant, soyez certain que je vous paierai aussi grassement que je le pourrai… Et puis, je peux vous héberger gratuitement dans ce que nous appelons la garçonnière, derrière la piscine… Par ailleurs, je m'engage à vous préparer à manger…

De nouveau, elle s'interrompit.

— A moins que vous ne préfériez préparer vos repas vous-même, auquel cas, vous aurez accès à la cuisine, bien entendu… Et il va sans dire que je me chargerai des courses, de sorte que si je ne parvenais pas à vous régler entièrement sous forme de salaire, cela resterait rentable, et vous…

— Natalie ! coupa-t-il.

Il ne pouvait se résigner à l'appeler Mlle Granville alors qu'il sentait toujours, sur ses doigts, l'huile dont elle s'était enduit le corps.

— Ce n'est pas une question d'argent ! Je n'ai pas les qualifications nécessaires pour m'acquitter convenablement de ce travail.

— Et moi, je suis sûre du contraire ! Je vous en supplie, Matthew. Dites oui !

Elle avait joint les mains et lui semblait, subitement, d'une pâleur mortelle.

A sa grande stupéfaction, Matthew s'aperçut qu'il avait bien du mal à lui résister. Certes, son babillage ingénu et son sourire charmant pouvaient être le résultat de son ivresse, toutefois il en doutait. Il était encore capable de reconnaître la sincérité chez ses interlocuteurs.

Dans sa vie antérieure, bien avant ses années d'emprisonnement, lorsqu'il gagnait des millions de dollars en Bourse, non seulement pour lui-même, mais aussi pour nombre de ses pairs, il n'avait que très rarement été confronté à l'innocence pure.

Il avait côtoyé des génies et des beautés sans pareils. Il avait serré des mains avec une ambition affichée et une cupidité insatiable. Il avait joui du pouvoir, du prestige et des plaisirs du sexe…

Mais jamais encore il n'avait rencontré une femme aussi ouvertement candide que Natalie Granville.

Candide… ou simplement ivre ? A jeun, elle était peut-être beaucoup plus cynique, et il était fort probable qu'elle avait, en réserve, une fiche de renseignements longue comme un jour sans pain pour le candidat au poste d'homme à tout faire. Elle voudrait tout savoir, de son groupe sanguin à sa pointure…

A moins qu'elle ne soit complètement folle. Comme le suggérait cette statue, dans le jardin, qui n'avait sûrement pas enfilé toute seule cette robe de mariée !

— Vous savez, ce n'est pas parce que je sens bon que je sais réparer le toit d'une villa romaine !

— Je le sais et ça m'est égal, renchérit-elle en posant une main sur son cœur. Au risque de vous paraître complètement loufoque, je sais que j'ai raison... J'ai besoin de vous. J'en ai la profonde conviction !

Une conviction qui avait probablement davantage à voir avec le bourbon qu'avec Matthew lui-même — ce qu'il s'abstint, cependant, de lui faire remarquer.

Le visage de la jeune femme prenait décidément une drôle de couleur et elle avait grand besoin de deux cachets d'aspirine et d'une longue sieste. A son réveil, elle aurait complètement oublié qu'elle avait dansé sur la balustrade... avant de supplier un parfait inconnu de venir s'installer dans sa propriété pour en réparer les innombrables fuites.

Le bruit du moteur d'une voiture de sport monta soudain, de l'allée, coupant court au plaidoyer de Natalie. Elle tourna la tête vers le véhicule, un modèle anglais flamboyant, dont Matthew sut immédiatement qu'il valait une petite fortune.

— Nom d'un chien ! marmonna-t-elle. Je lui avais pourtant bien spécifié qu'il était inutile qu'il se déplace...

Elle se mordilla la lèvre un instant, avant de se reprendre.

— Enfin... Pas vraiment... En fait, je n'ai pas répondu, quand il a appelé... Tout de même, il aurait dû comprendre !

Un jeune homme mince sortit de la voiture et sourit à la jeune femme, ignorant délibérément Matthew. Il était vêtu façon fils à papa : pantalon kaki, polo et mocassins vernis.

— Nat ? Je t'ai appelé trois fois, ma belle, et tu n'as pas répondu...

— J'étais en plein entretien d'embauche, avec mon nouvel homme à tout faire, déclara-t-elle en se redressant.

Elle faisait de son mieux pour paraître digne et professionnelle. Malheureusement, l'effet fut quelque peu gâché par sa prononciation empâtée. Sans compter, bien sûr, que ses cheveux en bataille et son Bikini blanc ne lui donnaient pas exactement l'allure d'une femme d'affaires.

Son visiteur le comprit très vite. Il essaya visiblement d'évaluer la situation, sans toutefois parvenir à rassembler les pièces du puzzle. Du coup, il se tourna vers Matthew, qu'il dévisagea attentivement.

— Ton homme à tout faire ?

— Tout à fait ! déclara Natalie, s'efforçant de ne pas bafouiller.

Gênée, elle ajusta son Bikini dans l'espoir de se couvrir davantage. En vain.

— Matthew ? Je vous présente Stuart Leith, conseiller municipal de Firefly Glen. Stuart ? Voici Matthew Quinn.

— Bonjour, lança froidement Stuart. Alors comme ça, monsieur Quinn, vous souhaitez devenir le nouvel homme à tout faire de Natalie ?

A l'entendre, Matthew aurait tout aussi bien pu avoir pour ambition de s'envoler pour la lune, à dos de libellule.

L'espace d'une seconde, il envisagea de répondre par l'affirmative, ne serait-ce que pour effacer le sourire suffisant qu'arborait le play-boy.

Bon sang ! Avait-il lui-même jamais eu cet air d'autosatisfaction ?

Si c'était le cas, cela justifiait entièrement ses trois années derrière les barreaux !

Par égard pour Natalie, néanmoins, il décida que le moment n'était pas propice à jouer les machos.

— En fait… Non, répliqua-t-il avec un sourire poli. J'étais venu postuler et, dès mon arrivée, j'ai compris que je n'étais pas l'homme de la situation.

— Matthew…, commença Natalie d'une voix plaintive.

Quelques gouttes de sueur perlaient à son front. Elle allait être malade. Matthew connaissait les symptômes.

Stuart ferma la portière de sa voiture et vint se poster au côté de son amie.

— Je vois ! dit-il fermement. Par conséquent, vous alliez repartir, non ? Ne vous gênez pas pour moi !

Natalie laissa échapper un petit cri de détresse.

— Je… Je ne me sens pas très bien !

— Viens, ma belle… Rentrons, répliqua Stuart, sans lâcher Matthew des yeux. Vous retrouverez votre chemin tout seul ?

Matthew hocha la tête.

— Faites attention ! Il y a du verre brisé sur la terrasse.

— Merci. Je m'occupe de tout.

Puis, se penchant vers Natalie, il reprit :

— Que s'est-il passé, ici, ma belle ?

— Matthew…

— Au revoir, Natalie, dit doucement ce dernier, tandis que Stuart entraînait la jeune femme à l'intérieur de la maison.

Elle geignit, sans que Matthew puisse déterminer si son départ était en cause ou si le *Jack Daniel's* avait commencé l'inévitable rébellion dans son estomac.

Leur tournant le dos, il regagna l'avant de la demeure pour aller récupérer sa voiture.

Au revoir et bon débarras… Il avait déjà assez de soucis comme ça sans en rajouter. Et, indubitablement, l'adorable Natalie Granville constituait un problème avec un P majuscule.

Sa maison était un problème, sa bouteille de bourbon, vidée avant l'heure du déjeuner, était un problème, sa statue habillée en mariée était un problème.

Même son petit ami, aussi snobinard qu'ombrageux, était un problème.

Il s'engouffra dans sa voiture, mit le contact et enclencha une vitesse. Il aurait dû être heureux de repartir, d'avoir échappé à cette maison de fous complètement décrépite.

Quant au couple dont il venait de faire la connaissance… Quelle équipe ! Le roi des snobs acoquiné à une optimiste forcenée, ivre et peut-être même folle à lier.

Pourtant, il devait être fou, lui aussi.

Car, en place du soulagement qu'il aurait dû éprouver en voyant le *Pavillon d'Eté* s'éloigner dans son rétroviseur, il fut soudain pris d'un sentiment de regret totalement inexplicable.

Ce même samedi après-midi, Suzie Strickland passa deux heures assise dans sa voiture, dans l'allée menant au *Pavillon d'Eté*.

Elle attendait le départ de Stuart Leith.

Elle voulait parler à Natalie seule à seule.

Or, elle ne pouvait attendre indéfiniment : elle s'était inscrite à l'université d'été, elle avait cours, le lundi suivant, et une tonne de travail l'attendait chez elle.

Combien de temps ce crétin BCBG allait-il encore s'attarder ? Natalie ne pouvait tout de même pas apprécier la compagnie d'un individu de cette espèce ! Elle était plutôt cool, à l'inverse de ce type complètement coincé.

Machinalement, Suzie porta les doigts à son sourcil gauche. Quand elle était nerveuse, irascible ou inquiète, elle avait tendance à jouer avec le petit piercing qu'elle y portait normalement — un anneau d'argent.

Hélas, l'anneau n'était pas là. Son piercing s'était infecté, la semaine précédente, et elle devait attendre que la plaie guérisse avant de le remettre.

Tout semblait se liguer contre elle…

Elle devait absolument rédiger cet essai pour accompagner sa lettre de motivation et, si elle voulait obtenir une bourse pour étudier l'histoire de l'art, le devoir se devait d'être fichtrement bon et très original.

Hélas… Comment aurait-elle pu faire preuve d'originalité, quand tout allait si mal ?

Autre source de contrariété : cette tondeuse à gazon dont le moteur grondait depuis une bonne demi-heure.

Elle se dirigeait inexorablement vers elle, poussée par Mike Frome, un cousin éloigné de Natalie, du même acabit que Leith, et qui passait l'été à travailler sur la propriété.

Suzie s'aplatit vivement sur son siège…

Trop tard.

Le jeune homme l'avait repérée. Il coupa le moteur de la tondeuse et se dirigea vers Suzie à grands pas, s'épongeant le visage avec un pan de sa chemise de manière à pouvoir exhiber ses abdominaux.

— Salut, Suzie-cool ! lança-t-il de son ton sarcastique et suffisant habituel.

Il lui avait donné ce sobriquet des années auparavant quand, encore au collège, elle portait des pantalons pattes d'éléphant et des symboles de paix et d'amour.

Evidemment… L'adolescent, lui, ne risquait pas d'être pris en faute : le moindre de ses actes devait avoir reçu le label de sa clique de bonnets de nuit conservateurs.

Leurs bandes de copains respectifs se détestaient depuis la puberté. C'est pourquoi Suzie avait été complètement écœurée de constater, un jour où elle photographiait l'équipe de base-ball, pour le journal du lycée, que Mike était devenu extrêmement mignon.

Et elle entendait bien *extrêmement* mignon.

Elle se redressa, l'air faussement surpris.

— Tiens donc ! Mike l'Ahuri... Qu'est-ce que tu fais ici ?

— Je travaille !

Posant un coude sur le capot de sa voiture, il se pencha en avant, un sourire finaud aux lèvres. Bien qu'il soit en nage, son charme naturel n'en souffrait pas, ce dont il était sans doute parfaitement conscient.

— Et toi ? Qu'est-ce que tu fais là ?

— Moi aussi, je travaille ici, andouille !

Zut ! Elle n'aurait pas dû dire ça. Elle n'avait pas encore touché mot de son projet à Natalie. Seulement Mike l'horripilait, avec son air supérieur. Comme si son argent, son visage de tombeur et ses prouesses sportives lui ouvraient toutes les portes, tandis que la pauvre petite Suzie Strickland, dont les parents étaient obligés de travailler dur pour gagner leur vie, devait continuellement prouver qu'elle avait le droit de respirer le même air que lui.

Le jeune homme la dévisagea avec curiosité.

— Ah bon ? Et qu'est-ce que tu fais ? La bonniche ?

Il était si près d'elle qu'elle aurait pu lui asséner un coup de poing. Malheureusement, il s'en serait donné à cœur joie, ensuite, racontant à qui voudrait l'entendre comment il avait fait disjoncter Suzie-cool.

— Pas du tout ! répondit-elle d'un ton glacial. Figure-toi que je vais peindre un trompe-l'œil dans la bibliothèque du *Pavillon d'Eté*... Seulement, bien sûr, tu n'as aucune idée de ce que peut être un trompe-l'œil, ajouta-t-elle avec un sourire sibyllin.

— N'importe quoi ! s'exclama Mike, perdant, néanmoins, un peu de sa superbe. N'oublie pas que j'étais dans la même classe que toi, en histoire de l'art, l'an dernier ! C'est un... un truc, sur un mur ! termina-t-il en s'épongeant de nouveau le visage.

— Un truc sur le mur, ricana-t-elle. C'est cela. Dis-moi... Tu as eu combien de moyenne, en histoire de l'art ? Cinq ? Six ?

— Tu veux que je te dise, Suzie-cool ? enchaîna-t-il en levant les yeux au ciel. J'ai autre chose à faire, dans la vie, que de m'acharner à être en tête de classe, moi !

— Ça tombe bien ! Parce que tu n'aurais aucune chance d'y arriver !

— Si tu le dis...

Il bâilla outrancièrement, avant d'examiner le ciel d'un œil de météorologue.

— Je ferais bien de me remettre au travail avant qu'il ne commence à pleuvoir ! J'ai un super rencard, ce soir ! *Seulement, bien sûr*, termina-t-il, imitant la voix de Suzie, tu n'as aucune idée de ce que peut être un super rencard !

Cette fois-ci, elle allait vraiment le frapper.

— Quelque chose me dit que ça ressemble à deux bonnets 95B, assortis d'un QI proche de zéro, le tout allongé sur le siège arrière de la Land-Rover de ton papa... Encore que, très franchement, poursuivit-elle en le foudroyant du regard, je n'aurais jamais pensé que tu te commettrais avec Justine Millner !

Encore une chose qu'elle n'aurait pas dû dire.

Mike lui avait confié son attirance pour la problématique Justine Millner un soir où, pour leur plus grand étonnement, ils s'étaient rencontrés à la même fête.

Et Suzie lui avait juré de ne jamais y refaire allusion.

Pourtant, que pouvait-elle faire d'autre ? Justine était la seule faiblesse de Mike Frome, tandis que Suzie, elle, était cousue de faiblesses… Et, bien entendu, le jeune homme ne manquait jamais une occasion d'enfoncer le clou.

— Tu sais ce que tu es, Suzie-cool ? Une véritable punaise !

Sur ce, il frappa le capot de la voiture du creux de la main, et gratifia la jeune femme d'un sourire sardonique en manière d'au revoir.

Elle le regarda s'éloigner. C'était la première fois qu'il la traitait de punaise.

Enfin… Quelle importance ? Il ne s'imaginait tout de même pas qu'elle se souciait le moins du monde de ce qu'il pensait d'elle, si ?

Tournant la clé de contact, elle remit le véhicule en marche. Stuart Leith n'était pas près de partir. Apparemment, ce soir, tout le monde avait un « super rencard ».

Tout le monde, sauf elle, évidemment.

Ce n'était pas grave… Pas grave du tout. Tous ces gens n'étaient que des bœufs.

Suzie, elle, était une artiste.

Hélas, pour la première fois de sa vie, cette pensée ne la réconforta pas. La triste vérité, c'était que Suzie aurait volontiers échangé sa place contre celle de Justine Millner, ou de n'importe qu'elle autre fille du même acabit, aux mensurations de rêve, et ayant une place de choix à l'arrière du 4x4 du père de Mike Frome.

3.

Ce matin-là, Natalie s'était réveillée en souhaitant de toutes ses forces ne pas survivre à la journée qui s'annonçait.

Elle avait d'ailleurs toutes ses chances : si son terrible mal de crâne et sa nausée n'avaient pas l'effet escompté, elle mourrait de honte, c'était certain.

En attendant, elle devait descendre en ville pour livrer des plantes à Théo : à moins de trépasser, il lui faudrait s'acquitter de la facture d'électricité, de la taxe foncière, de l'assurance…

Et de tout le reste.

Aussi continua-t-elle à rouler, malgré le soleil, dont les rayons lui picotaient les yeux tels de petits poignards. A un moment donné, elle passa un peu trop vite sur un gendarme couché, et crut que son crâne allait éclater sous l'impact de la secousse.

Elle se gara en double file, dans la grand-rue, devant le *Dîner aux Chandelles*, et jeta un rapide coup d'œil en direction du bureau du shérif.

Pourvu qu'Harry soit sorti ! Il était plutôt à cheval sur les questions de stationnement et elle ne pouvait se permettre une nouvelle contravention : elle n'avait même pas encore réglé les deux précédentes.

Théodosia Burke, la propriétaire du restaurant, était âgée de soixante-quatorze ans et se montrait quelque peu tyrannique. Elle devait surveiller l'arrivée de Natalie, car elle sortit immédiatement et alla retrouver la jeune femme près de la minuscule Honda Civic, dont le coffre béant laissait apparaître six pieds de fougères luxuriantes, dans des paniers de macramé.

Bien que ravie d'avoir de l'aide, Natalie ne manqua pas de s'étonner que Théo ait si volontiers abandonné ses clients. Elle tenait son petit boui-boui comme s'il s'était agi d'une auberge cinq étoiles.

— Bonjour ! hurla la vieille dame.

Ses paroles eurent l'effet du tonnerre sur le cerveau en bouillie de Natalie. Elle s'efforça de ne pas grimacer, sans pouvoir s'empêcher, toutefois, de porter une main à son front.

— Bonjour, chuchota-t-elle, les yeux fermés.

— Ça alors..., commença Théo, un panier dans chaque main. C'est donc vrai ? J'étais persuadée que cet idiot de Leith m'avait raconté des sornettes. Qu'est-ce qui t'a pris, fillette ? Tu ne sais donc pas que les Granville ne supportent pas l'alcool ?

Natalie s'essaya à un petit sourire, qui tourna à la grimace.

— Je confirme, dit-elle faiblement.

— Ah, ces jeunes ! geignit Théo. Il faut toujours qu'ils vérifient tout par eux-mêmes... Comme si la vie n'était pas assez dure comme ça !

Natalie n'était pas en état de discuter. Terrassée par le soleil, elle s'était mise à transpirer, ce qui, en plus d'être désagréable, aggravait encore sa nausée.

— Je suis entièrement d'accord avec vous, madame Burke.

Théo pouffa d'un air rêveur.

— Stu m'a parlé de ta robe de mariée, sur la statue. J'aurais bien voulu voir ça !

Voyant que Natalie ne partageait pas son hilarité, Théo finit par se calmer.

— Tu as passé une sacrée journée, non ? J'espère que tu ne t'es pas trop apitoyée sur ton sort, fillette. Ça n'a jamais valu rien de bon à personne et tu le sais !

Natalie allait protester, affirmant haut et fort que les Granville ne s'apitoyaient jamais sur eux-mêmes, quand elle s'aperçut que ce n'était pas tout à fait vrai.

Elle avait le moral à zéro, ce matin, même si cela n'avait rien à voir avec Bart Beswick et le fait qu'ils ne se soient pas mariés.

— Bon sang..., commença-t-elle avec véhémence.

Erreur grave...

Les tempes battantes, elle inspira longuement et reprit en un chuchotement qu'elle voulait indigné.

— Tout le monde semble oublier que c'est moi qui ai annulé ce mariage ! On me traite comme si j'étais une pauvre petite chose, abandonnée devant l'autel et à moitié morte de chagrin ! Vous pouvez m'expliquer pourquoi ?

Théo éclata de rire.

— Personne ne te prend en pitié, ma fille ! Au pire, on te prend pour une véritable écervelée, voilà tout ! Tu viens de laisser passer ta chance d'épouser une vingtaine de millions de dollars... Et, comme chacun sait, tu es loin de rouler sur l'or !

— Vous oubliez un détail : je n'étais pas amoureuse de Bart. Et il ne m'aimait pas vraiment, lui non plus !

— Je sais, je sais ! Seulement, par ici, les gens ne voient pas le rapport.

Natalie soupira et, s'emparant des deux paniers restants, referma le hayon d'un coup de coude.

— S'ils ne comprennent pas qu'on doit se marier par amour et non épouser un portefeuille, ce n'est pas moi qui le leur expliquerai ! Allons ! Rentrons ces pots. Vos clients doivent se demander où vous êtes passée !

Elle grimpa la première marche, et s'aperçut que Théo ne la suivait pas.

— Allez, Théo ! Venez !

Ses lunettes de soleil glissaient sur son nez. Elle renversa la tête en arrière, pour les remettre en place. Elle ne pouvait supporter cette lumière éblouissante.

— C'est lourd, vous savez !

— Je sais… Seulement, avant de rentrer, je voulais te dire que…

— Que quoi ?

— Nous avons un visiteur. Un nouveau venu en ville, je veux dire. Plutôt beau gosse… Il est à l'intérieur, en ce moment même.

Natalie gémit. Théo était l'entremetteuse la plus redoutable de tout Firefly Glen.

— Théo ! Je ne suis pas encore en quête d'un homme à épouser ! Surtout aujourd'hui ! Regardez-moi ! Mon jean est dégoûtant, ma tête prête à exploser et, au moindre faux mouvement, je risque de m'évanouir ou d'être malade. Je me fiche de savoir s'il est beau gosse, comme vous dites, ou non. Surtout, ne me le présentez pas !

Théo resta silencieuse, ce qui ne lui ressemblait nullement. Elle se mit à triturer les fougères, démêlant deux branches enchevêtrées, en évitant délibérément le regard de son interlocutrice.

— Je crois que ce ne sera pas nécessaire, dit-elle enfin. Tu l'as déjà rencontré.

Natalie jeta un coup d'œil en direction de la porte rouge vif, flanquée de deux magnifiques soucis fournis par sa propre pépinière.

— Moi ? Quand ?

— Dis-moi un peu, répliqua Théo en relevant la tête. Jusqu'à quel point te souviens-tu de ta journée d'hier, au juste ?

— Je… Je me souviens de tout, murmura-t-elle.

— Absolument tout ?

— Oui ! Jusqu'au moindre détail fâcheux ! Y compris de…

Elle déglutit péniblement.

— Oh, non !

Théo hocha la tête avec compassion.

— Et si ! Y compris ta rencontre avec le beau Matthew Quinn…

Dix minutes plus tard, Natalie s'efforçait toujours de se calmer en se rassurant comme elle le pouvait.

Ça n'était pas si catastrophique que cela, après tout ! En fait, ça lui simplifierait même considérablement les choses : de toute façon, elle se serait lancée à la recherche de Matthew Quinn à un moment ou l'autre de l'après-midi.

Seulement, elle aurait préféré attendre quelques heures, de manière à ce que ses yeux soient moins sensibles et moins rougis. Et puis, elle aurait bien aimé prendre une autre douche…

Elle avait également prévu de revêtir son tailleur bleu marine, peut-être même de se maquiller et de tresser ses cheveux indomptables en une longue natte, tant elle voulait avoir l'air d'un employeur digne de ce nom — c'est-à-dire sobre et parfaitement sain d'esprit…

Enfin… Pour autant qu'une Granville puisse l'être.

En place de quoi, elle allait devoir affronter Matthew Quinn dans ce jean, nauséeuse et diminuée.

Et puis tant pis ! C'était peut-être aussi bien ainsi. C'était elle, au naturel. Si elle ne parvenait pas à le convaincre de venir travailler pour elle sans avoir recours à des artifices, cela signifierait sans doute qu'il n'était pas le candidat rêvé...

Le jeune homme était attablé au fond de la salle, devant un journal. Sans doute lisait-il les petites annonces, à la recherche d'un emploi, maintenant qu'il avait décidé de ne pas accepter celui qu'elle proposait.

Elle continua d'accrocher les pots de fougères au-dessus des fenêtres en s'efforçant de ne pas trop le regarder. Cela aurait nui à sa concentration. Toutefois, elle nota avec soulagement qu'il lui paraissait inchangé, même à présent qu'elle ne le voyait plus à travers des vapeurs d'alcool.

Il était très grand, mesurant probablement plus d'un mètre quatre-vingts. Un soupçon trop svelte, à son goût, comme s'il ne mangeait pas tout à fait à sa faim, et malgré tout puissant, surtout au niveau des épaules, larges et carrées.

Ses cheveux étaient épais, sombres, et légèrement ondulés, ce dont il ne semblait guère se préoccuper. Elle aurait volontiers parié qu'il ne possédait pas le moindre flacon de gel coiffant.

Au risque de paraître vieux jeu, elle détestait les hommes qui utilisaient davantage de produits capillaires qu'elle-même — soit une bouteille de shampooing, une autre de démêlant et une brosse à cheveux. Elle n'avait ni temps ni argent à consacrer à son apparence physique.

Du haut de son perchoir, elle ne distinguait pas les yeux de Matthew. Toutefois, elle se les rappelait. Ils étaient magnifiques, d'une belle teinte noisette et bordés de cils noirs fournis. Mieux encore, son regard était intelligent et il exprimait une bonté infinie.

Et si elle ne prêtait jamais grande attention aux vêtements des hommes — pas plus qu'à ceux des femmes, d'ailleurs — elle pressentait que Matthew n'avait pas dépensé une fortune pour acheter son jean et sa chemise de coton blanc toute simple. Les fils à papa de la contrée auraient pu en tirer une leçon. Ils avaient beau débourser des sommes folles en vêtements de marque, ils ne lui arriveraient jamais à la cheville en matière d'élégance.

Certes, Matthew était avantagé : il se dégageait de lui un charme naturel hors du commun.

Natalie avait rêvé de lui, la nuit précédente, et, le bourbon ayant ankylosé en elle toute forme d'inhibition, ses fantasmes auraient pu être classés « érotiques ».

Bien sûr, elle ne lui aurait jamais avoué une chose pareille. Cela l'aurait fait fuir en courant !

De plus, elle n'avait aucune intention de faire quoi que ce soit pour que son rêve devienne réalité. C'était un homme à tout faire, qu'elle recherchait, pas un petit ami. Son apparence physique n'avait de réelle importance que parce qu'elle prouvait qu'il était véritablement un être à part. Par ailleurs, elle n'avait pas pour habitude de se laisser bercer par des rêves érotiques, ce qui, elle s'en rendait compte, à présent, était fort dommage.

Il leva les yeux, sans doute à la recherche d'une serveuse. Mais, bien que Natalie fut toujours perchée sur sa chaise, à se débattre avec la dernière fougère, il la repéra immédiatement.

Il attendit quelques secondes interminables, comme s'il se demandait jusqu'à quel point il convenait de lui rappeler leur précédente rencontre. Aussi, pour le rassurer, lui sourit-elle timidement.

Et, lentement, il lui retourna son sourire.

Natalie sentit ses genoux fléchir et faillit tomber de sa chaise. La dernière chose qu'elle voulait, c'était se conduire comme une adolescente enamourée ; cependant, Matthew avait indéniablement un sourire magnifique, plein de chaleur et de lumière.

Et, non, son ivresse de la veille n'avait pas émoussé son instinct et elle avait eu parfaitement raison : cet homme n'était pas n'importe qui — il était parfait.

Alors elle décida qu'il ne quitterait pas le *Dîner aux Chandelles* sans avoir au préalable accepté de venir travailler pour elle.

Elle redescendit précautionneusement, époussetant son jean des deux mains. Elle passa ensuite les doigts dans ses boucles folles, dans l'espoir d'en déloger les petits morceaux de fougère qui s'y étaient accrochés, puis elle se dirigea vers sa table.

— Bonjour ! lança-t-elle.

Elle chercha désespérément une entrée en matière à la fois spirituelle et sophistiquée, pour les aider à surmonter leur embarras. Hélas, son esprit embrumé refusait de lui venir en aide.

— Comment allez-vous ? demanda-t-elle, en désespoir de cause.

Poliment, il posa son journal.

— Très bien ! Et vous-même ?

Bien que cette innocente repartie lui parût dépourvue de sous-entendus, elle se sentir rougir.

Toutefois, pourquoi ne pas répondre franchement ? Elle avait la conviction qu'ils pouvaient être amis et former une bonne équipe, tous les deux. Pour cela, elle devait éviter d'adopter une attitude faussement bravache.

— Je suis dans un état épouvantable… En plus d'être affreusement gênée. Je tiens à m'excuser pour ma conduite d'hier. Vous avez été fantastique ! Un véritable chevalier en armure. Quant à moi… Je me suis montrée en dessous de tout… Sans compter que je ne vous ai même pas remercié de m'avoir sauvé la vie.

— Je ne suis pas d'accord avec vous ! Vous étiez charmante, au contraire ! De plus, vous m'avez remercié à plusieurs reprises, et votre vie n'a jamais été en danger !

Il absorba une gorgée de café, en observant la jeune femme par-dessus sa tasse.

— En fait, j'ai eu l'impression que le pire restait à venir. Votre ami Stuart a dû essuyer les plâtres !

Elle se surprit à sourire.

— J'en ai bien peur, oui ! soupira-t-elle. Même si je ne me souviens pas de tout, je crois que je lui dois une nouvelle paire de chaussures.

— Aïe !

Ses yeux brillaient de malice, et Natalie comprit soudain qu'il trouvait l'incident plus amusant qu'autre chose. C'était bon signe. Au moins, elle n'avait pas affaire à l'un de ces donneurs de leçon guindés, qui mettent la femme sur un piédestal et s'en désintéressent au moindre signe de fatigue, de négligence, de mesquinerie… ou d'ivresse.

Non qu'elle ait eu pour habitude de s'enivrer, loin de là. En fait, la veille avait été une première et elle se sentait peu encline à renouveler l'expérience.

En revanche, de par la nature de son travail à la pépinière, elle était « négligée » plus souvent qu'à son tour.

… Et parfois, bien que cela ne lui arrivât pas très souvent, elle se prenait en flagrant délit de mesquinerie manifeste.

Théo s'approcha de leur table. Sans mot dire, elle déposa une pile de crêpes devant Matthew et un grand verre de jus d'orange pressée devant Natalie.

— Je n'ai rien commandé ! se récria la jeune femme en regardant la restauratrice d'un air appuyé.

— Je le sais ! répliqua cette dernière, qui croisa les bras. Seulement, un peu de vitamine C t'aidera à venir à bout de cette gueule de bois… Quant à vous, jeune homme, vous me paraissez un peu maigrichon ! Alors, je ne veux pas vous entendre récriminer ni l'un ni l'autre ! Mangez, un point c'est tout.

Natalie souleva son verre avec un soupir résigné.

— Vous n'avez plus qu'à vous exécuter, expliqua-t-elle à Matthew. Théo ne bougera pas d'ici tant que nous ne lui aurons pas obéi.

Un large sourire éclaira le visage de Matthew.

— Ah ! Vous êtes la fameuse Théo ?

Etonnamment, la vieille dame, pourtant connue pour son immunité au charme masculin, fondit sous la chaleur de ce sourire.

— Théodosia Burke, en effet ! dit-elle en décroisant les bras. Je suis la propriétaire de ce restaurant.

— Je suis ravi de faire votre connaissance, rétorqua Matthew. J'ai vu, sur le panneau communal, que vous aviez perdu votre chien. Vous m'en voyez navré. Il est revenu ?

— Non. Pas encore…

Visiblement ravie de la sollicitude du jeune homme, Théo plongea la main dans son tablier blanc impeccable et en tira une photo.

— Tenez ! Si vous l'apercevez, soyez gentil de me prévenir. Cette pauvre bête commence à devenir sourde. Dieu sait dans quel pétrin elle est allée se fourrer !

— Je n'y manquerai pas, répondit Matthew. Vous devez êtes terriblement inquiète…

— Oui. Enfin, que ça ne vous empêche pas de manger ! Et c'est un cadeau de la maison, grommela-t-elle en empochant l'addition posée sur la table.

Elle s'avançait vers la table voisine quand elle se tourna subitement et regarda Natalie droit dans les yeux.

— Quant à toi, fillette, et quoi qu'en dise Stuart Leith, je pense que, cette fois-ci, tu ferais bien d'écouter ton intuition… Sans te préoccuper des mauvaises langues…

Surprise par la perspicacité de son hôtesse, Natalie rougit violemment. Pourvu que Matthew n'ait pas décodé le message…

Depuis toujours, les habitants de Firefly Glen avaient tendance à exagérer l'extravagance de sa famille. Le couple de girafes que son grand-père avait acheté, un jour, pour les laisser s'ébattre sur les pelouses du *Pavillon d'Eté,* la piste d'atterrissage pour l'hélicoptère, la danseuse légère, employée comme bonne d'enfants, et le whisky de contrebande fermentant dans la salle de bains… tout cela avait contribué à la légende.

Toute son enfance, Natalie avait entendu relater l'histoire de son arrière-grand-père, qui, s'étant déclaré en guerre avec la ville de Firefly Glen, pour une vague histoire de taxes, avait installé un canon sur le flanc de montagne surplombant la petite commune. A ce qu'il semblait, toutefois, les Glennois avaient continué de vaquer à leurs occupations, se contentant de remarquer placidement que le vieil homme était sous le coup d'une lubie passagère.

Natalie dévisagea son interlocuteur, essayant vainement de deviner ce qu'il pensait de la remarque cryptée de Théo. Elle ne le connaissait pas encore assez bien pour pouvoir déchiffrer son expression et, pour le moment, il semblait totalement absorbé par la dégustation de ses crêpes.

C'était le moment ou jamais… Elle absorba une longue gorgée de jus d'orange et se lança.

— Quoi qu'il en soit, et même si je souhaitais vraiment m'excuser, je voulais également essayer de vous convaincre d'accepter ce poste d'homme à tout faire.

Voyant qu'il avait levé les yeux et s'apprêtait à protester, elle s'empressa de continuer, pour prévenir un nouveau refus.

— Je sais… Entre mon état, hier, et celui de la maison, vous avez dû penser que ce travail n'était pas une sinécure. Seulement, croyez-moi, je ne suis pas une alcoolique. En fait, je ne bois pas du tout. Les Granville n'ont jamais bu… Ils n'ont jamais tenu l'alcool.

— C'est vrai ? demanda-t-il en souriant.

— Je vous l'assure ! De sorte que vous n'avez rien à craindre : je ne passerai pas mon temps à vous tomber dans les bras.

Elle déglutit péniblement, consciente de sa maladresse.

— Quant à la maison… Inutile de se voiler la face. Elle est dans un état lamentable. Cependant, je n'attends pas de vous des réparations extraordinaires. De toute façon, je ne pourrais pas les financer… Tout ce que je peux me permettre, c'est un peu d'entretien. En attendant mieux…

— J'apprécie vraiment votre offre, Natalie, cependant…

— Je vous en supplie, ne refusez pas avant de m'avoir écoutée. Je vis seule, là-bas. C'est une énorme maison et je croule sous les responsabilités. Chaque jour apporte son lot de problèmes… J'en règle certains. J'en règle même beaucoup. Et cela depuis des années… Seulement, je sens que je commence à avoir besoin d'aide.

— Je ne suis vraiment pas l'homme qu'il vous faut. Sans compter que je ne suis pas à Firefly Glen pour bien longtemps. J'ai l'intention d'y passer l'été et ensuite…

— Ce n'est pas grave. Je ne vous demande pas d'engagement à long terme. Essayez, au moins ! Je vous paierai un mois d'avance... Et si cela ne vous plaît pas, ou bien si vous pensez toujours que c'était une erreur, vous serez libre de partir. Je ne vous demanderai pas de comptes. Et si le salaire que je propose n'est pas bien élevé, il inclut le gîte et le couvert...

Il la contemplait avec tristesse, un peu comme s'il hésitait à la décevoir. Toutefois, il n'avait pas essayé de l'interrompre par un « non » ferme et définitif, ce qui devait être bon signe.

Matthew était tenté, elle en était quasiment sûre.

— Je suis vraiment convaincue que nous ferions une superbe équipe.

— Enfin, Natalie... Vous ne me connaissez pas. Vous ne savez rien de mes capacités. Qui vous dit que je sais même planter un clou ?

— Ne dites donc pas de bêtises ! s'exclama-t-elle en secouant la tête. Vous ne pouvez pas être maladroit ; pas avec des mains aussi puissantes ! Et vous semblez oublier que j'ai eu un bon aperçu de votre force. Vous êtes assez costaud pour rattraper une femme au vol sans sourciller !

Il ne put s'empêcher de sourire — pour reprendre son sérieux presque aussitôt, néanmoins.

— Et ma personnalité ? Vous m'invitez à vivre chez vous sans rien savoir de moi... Je pourrais être paresseux, profiteur, voleur, même... Pire, psychopathe. Vous n'avez aucune référence, vous ignorez tout de mon passé.

— Je peux me renseigner sur vos références, si vous y tenez vraiment... Mais c'est toujours sur un coup de tête que j'ai pris les meilleures décisions. Je suis comme ça. Je n'y peux rien. Mon grand-père affirmait que les Granville sont guidés par leur intuition et il avait parfaitement raison... En fait, les seules fois où j'ai commis de graves erreurs sont celles où je ne me suis pas fiée à mon instinct !

En disant cela, Natalie pensait à Bart.

Elle avait toujours été intimement persuadée qu'un mariage sans amour ne pouvait être une bonne chose. En dépit de cette conviction, dans un premier temps, elle avait laissé son entourage lui démontrer qu'une vingtaine de millions de dollars rendrait la chose acceptable. Même son grand-père, sur son lit de mort, lui avait conseillé ce mariage comme solution à tous ses problèmes. Pourtant, au fond d'elle-même, elle savait qu'elle courait au désastre… et, décider de rompre ses fiançailles était la meilleure chose qu'elle ait jamais faite.

Jusqu'à aujourd'hui…

Matthew semblait perdu dans ses pensées, lui aussi. Il la contempla longuement, en faisant pivoter sa cuillère entre ses doigts, tel un joueur de poker, titillant sa carte majeure. Natalie était fascinée par la grâce de ses mains.

— Il faut que je vous avoue quelque chose, murmura-t-il enfin, gravement. Une chose que vous devez savoir, avant d'aller plus loin.

Elle hocha la tête, n'osant même plus espérer. Pourtant, Matthew n'avait pas l'air de s'entêter dans son refus. Bien au contraire, il semblait désormais chercher un moyen d'accepter la proposition.

Il prit une longue inspiration et se lança.

— C'est très simple, en fait. Simple et moche… Je sors de prison.

De toute évidence, il s'attendait à une réaction horrifiée. Pensait-il qu'elle allait se mettre à hurler, comme si elle avait vu un fantôme ? Il ignorait probablement que son propre arrière-grand-père avait été jeté en prison, à quatre reprises, pour contrebande d'alcool, que son grand-oncle maternel avait abattu son meilleur ami au cours d'un duel, et que l'aïeul au canon avait refusé de payer ses impôts pendant des années…

Il en fallait décidément bien davantage pour effaroucher les Granville… Aussi, Natalie se contenta-t-elle de regarder son interlocuteur et d'attendre la suite sans rien dire.

— J'ai terminé ma peine il y a moins d'un mois, reprit-il, un peu décontenancé. J'ai passé trois ans au pénitencier de l'Etat de New York.

— Pourquoi ? Qu'est-ce que vous avez fait ?

C'était sans doute indiscret, mais c'est tout ce qu'elle trouva à dire.

— Escroquerie. Vol qualifié. Ouverture de plusieurs comptes sous des noms fictifs. Pour faire court, j'étais à la tête d'une société de conseil financier. J'étais assez doué pour des investissements et j'ai enrichi un bon nombre de gens. Seulement, mon associé…

Sa mâchoire se contracta et ses yeux prirent une teinte dangereusement sombre.

— L'argent s'est volatilisé. En totalité… Des millions de dollars. Mon associé a filé en Amérique du Sud… Et moi, je me suis retrouvé en prison.

La simplicité avec laquelle il lui avait expliqué l'affaire en disait long. Cet homme était profondément blessé. De surcroît, il redoutait, s'il en disait plus, de laisser transparaître sa souffrance.

— Enfin… Cet argent… Vous ne l'avez pas pris, si ? C'est votre associé qui l'a volé, c'est bien ça ? Le fait qu'il soit une canaille ne fait pas de vous un escroc, ajouta-t-elle, en se penchant vers lui.

Matthew avala une longue gorgée de son café.

— Le jury en a décidé autrement, reprit-il avec amertume. Et le système juridique de l'Etat de New York ne semble pas avoir fait le distinguo non plus. On nous a tous deux jugés également coupables.

Il reposa précautionneusement sa tasse et leva les yeux vers Natalie.

— C'est comme ça !

Oui. C'était comme ça.

La colère et le ressentiment de Matthew étaient presque palpables. Et, au-delà, Natalie percevait d'autres choses… La solitude, le courage, le choc d'avoir été trahi dans sa confiance. L'injustice pure et la souffrance, aussi.

Cela faisait beaucoup, presque trop.

Subitement, elle craignit de se mettre à pleurer. Il n'aurait jamais compris. Il aurait sans doute pensé qu'elle versait des larmes de pitié, alors qu'elle se sentait surtout indignée.

Une belle ordure, cet associé ! Comment pouvait-on laisser un ami payer seul une addition aussi lourde ?

— Alors, qu'en dites-vous, à présent, mademoiselle Granville ? Que vous dicte votre intuition ?

— Mon intuition me dit que nous ferions bien de nous dépêcher, dit-elle avec un sourire forcé. Selon mes calculs personnels, un nouveau morceau du *Pavillon d'Eté* s'écroule toutes les huit secondes environ. Pendant que vous me racontiez ces sornettes, j'ai probablement perdu le panneau ouest de la chambre Bleue.

— Natalie, il ne s'agit pas de sornettes ! C'est vrai ! Je suis un repris de justice. Vous pourriez…

Elle soupira bruyamment.

— Par pitié, arrêtons. Dites moi oui ou non, un point c'est tout… Si vous acceptez ce boulot, me promettez-vous de faire tout votre possible pour réparer ma vieille baraque ?

— Je ne peux…

— Oui ou non ?

Il hocha lentement la tête.

— Oui.

— Vous n'essayerez pas de m'arnaquer ?

— Non.

— Ni de me dévaliser ? De voler mes objets de valeur ?

— Vous possédez des objets de valeur ? s'enquit-il, l'air vaguement amusé.

— Pas le moindre ! rétorqua-t-elle avec un sourire radieux. Cependant, si j'en avais, est-ce que vous les voleriez ?

— Non.

— Et vous ne me feriez pas de mal non plus ?

— Jamais !

Se levant d'un bond, elle lui tendit la main.

— Dans ce cas, comme j'ai essayé de vous le dire hier, vous êtes embauché, Matthew Quinn !

Il se leva lentement. Et, plus lentement encore, prit sa main tendue, pour la serrer, fermement.

Natalie sourit, songeant à la chance qu'elle avait : le plus fabuleux des hommes à tout faire avait réussi à trouver le chemin jusqu'à la porte branlante de son tas de ruines !

Bien sûr, elle était navrée pour lui que de si difficiles circonstances l'aient conduit jusqu'à elle… Mais son arrivée était inespérée et, très égoïstement, l'espace d'un instant, elle remercia l'associé véreux d'avoir trahi Matthew.

— Parfait. Dans ce cas, marché conclus. Vous pouvez emménager demain matin ?

Petit à petit, le sourire de Mathhew se faisait moins crispé.

— Je ne vois pas ce qui pourrait s'y opposer !

— Super. A demain matin, alors !

S'emparant de son verre, elle finit de le vider. Théo avait eu raison. Comme par enchantement, elle se sentait soudain beaucoup mieux !

— Natalie ? lança Matthew au moment où elle s'apprêtait à sortir.

— Oui ?

— J'ai une question à vous poser. Pourquoi cette statue portait-elle une robe de mariée, hier ?

Elle pouffa de rire et secoua la tête.

— Je vous expliquerai cela un de ces jours. Pour l'instant, tout ce que je peux vous dire, c'est que ça ne va pas arranger ma réputation…

— Et, maintenant que vous m'avez embauché, les gens vont raconter que c'est encore plus grave qu'ils ne le pensaient !

Elle haussa les épaules, toujours souriante.

— Laissons-les dire… Les gens n'ont pas toujours raison, vous savez !

4.

Craignant de changer d'avis, Matthew se rendit au *Pavillon d'Eté* de bon matin.

Il avait à peine fermé l'œil de la nuit, qu'il avait passée à contempler le plafond, en réprimant l'envie irrationnelle de prendre ses jambes à son cou, de sauter dans sa voiture et de filer vers le nord. Ou vers le sud… N'importe où… N'importe quel autre endroit ferait l'affaire.

Sans doute à cause des trois années qu'il avait passées enfermé dans une cellule de dix mètres carrés, l'idée d'être tenu de rester quelque part le rendait fou. Même un arrangement sans conséquence et à court terme, comme cet emploi chez Natalie Granville, l'oppressait, lui donnant l'impression d'avoir la bride autour du cou.

Il aurait dû refuser.

La liberté. Il n'y avait que cela de vrai.

Malheureusement, tout, même la liberté, était sujet à condition. S'il ne travaillait pas au *Pavillon d'Eté*, il devrait se faire embaucher ailleurs : il avait obtenu une remise de peine, à condition de trouver un emploi rémunéré et qui n'ait rien à voir avec le monde des finances. Cela sous un mois.

Par pure gentillesse, sa sœur et son beau-frère lui avaient proposé de diriger l'un des restaurants familiaux, à Miami. C'était donc soit la Floride, où, en plus de la réprobation muette de son beau-frère, il devrait supporter la sollicitude étouffante de sa sœur ; soit un petit boulot vite trouvé et sans prétention, comme celui que lui offrait Natalie Granville.

Aussi s'était-il levé tôt et, après avoir appelé Maggie afin de lui faire part de sa décision, il avait rallié le *Pavillon d'Eté*.

Natalie avait laissé un mot, sur la porte d'entrée, de cette même écriture tremblée qui l'avait amené là, le premier jour.

« Mille pardons... Je ne peux vous accueillir à votre arrivée ! » avait-elle écrit. « Suivez les Post-it, ils vous mèneront à votre garçonnière. Et surtout, installez-vous... Je reviens dès que possible. Promis ! »

Il avait suivi les petits papiers roses, collés, tous les deux ou trois mètres, sur tout ce qui pouvait servir de support : la main tendue d'une statue, un pot en terre, une tige de lierre. Ce faisant, il contourna l'immense demeure, traversa une sorte de grotte terriblement humide pour, finalement, arriver devant ce qui avait dû être, jadis, une magnifique piscine.

Il s'arrêta un instant pour examiner le bassin. Une mosaïque sophistiquée en décorait le fond, mais il manquait tellement de pièces qu'elle donnait l'impression d'un puzzle inachevé. Du coup, Matthew fut incapable de déterminer quel en avait été le motif.

Il secoua la tête, consterné. Les lieux étaient dans un état plus lamentable encore qu'il ne l'avait pensé. Que n'avait-il refusé ce job ! Le meilleur bricoleur du monde aurait été impuissant, devant une telle décrépitude ! Quant à Natalie Granville, elle aurait eu tout intérêt à louer un bulldozer pour tout raser, et reconstruire.

La « garçonnière » était située à l'autre extrémité du bassin. Et, bien entendu, elle semblait aussi délabrée que le reste de la propriété.

Son paquetage à la main, Matthew se tint un instant devant ces ruines somptueuses. Avec ses colonnes de marbre et ses frontons, la bâtisse ressemblait à un petit temple, abandonné depuis longtemps.

Les murs étaient piqués. Les rayons du soleil encore timide filtraient à travers les trous de l'avant-toit, éclairant malencontreusement les mauvaises herbes qui repoussaient entre les dalles fissurées. Deux des trois colonnes présentaient des découpes étranges, comme des marques de morsure, un peu comme si un dragon en avait fait son déjeuner.

L'ensemble était infiniment pittoresque, mélancolique à souhait… et probablement très inconfortable.

Décidément, songea Matthew, il aurait mieux fait de s'abstenir.

Le dernier Post-it de Natalie l'attendait sur la porte d'entrée. « Bravo ! Vous avez trouvé ! » avait-elle écrit, avant de dessiner un visage souriant qui concluait : « Bienvenue ! Faites comme chez vous ! »

Il décolla le papier et relut les mots en secouant la tête, médusé.

Comment faisait-elle, alors qu'elle aurait dû être complètement écrasée par le poids de ses soucis, pour montrer un tel enthousiasme ?

Sans compter que cette garçonnière n'était pas « chez lui »… Matthew n'avait plus de chez-lui.

— Je sais… C'est une véritable catastrophe.

Il sursauta et se retourna.

Natalie se tenait derrière lui, tirée à quatre épingles dans un ensemble de lin bleu pâle, et apparemment sobre. En fait, elle était si différente de l'excentrique jeune femme échevelée et à moitié nue qui lui était tombée dans les bras, qu'il faillit ne pas la reconnaître.

Certes, rien ne pouvait altérer sa beauté naturelle. Néanmoins, tous ces efforts pour paraître standard, cette tenue de jeune cadre, ce rouge à lèvres discret et ces cheveux attachés en queue-de-cheval, lui enlevaient un peu de sa magie, de son originalité.

Dommage... Elle lui avait bien plu, à lui, grise et déchaînée.

Une petite brise embaumée se mit à souffler, soulevant au passage les cheveux dorés de la jeune femme.

Elle fronça le nez et, avec un sourire penaud, ôta la barrette qui retenait ses cheveux. Puis, se penchant en avant, elle retira ses hauts talons et, avec un soupir de soulagement, remua les doigts de pieds.

— Je déteste les chaussures. Pas vous ?

Se tournant vers lui, elle fit une petite grimace. Etonnamment, elle semblait conserver son bel optimisme. Et Matthew comprit soudain que la magie ne s'était pas envolée. Il fallait bien davantage qu'un tailleur de lin pour conférer à Natalie Granville un air « standard ».

Laissant tomber son sac à main et ses souliers sur les dalles, elle prit Matthew par la main.

— Ne vous laissez pas impressionner par l'ampleur des dégâts, Matthew. Je ne me suis pas encore attaquée à l'extérieur. Quand vous verrez l'intérieur, vous serez rassuré. Il y a quelques aspects positifs, je vous le promets !

Avant qu'il ait eu le temps de protester, elle avait ouvert la porte et le précédait dans la garçonnière.

Aussitôt, elle commença à s'affairer, visiblement nerveuse, balayant d'une main légère un grain de poussière imaginaire, redressant les cadres d'un demi-millimètre, lissant les rideaux accrochés à la fenêtre avec vue imprenable sur les flancs de la montagne.

L'endroit était plus spacieux qu'il ne le paraissait de l'extérieur. Il était lumineux et sentait la peinture fraîche.

Natalie avait laissé les rideaux ouverts et les lampes allumées, de sorte que, l'espace d'une seconde, Matthew se demanda si elle n'avait pas deviné à quel point il appréciait la lumière du jour, en ce moment.

— Bien sûr, c'est loin d'être parfait, dit-elle en fronçant de nouveau le nez. Les tableaux sont hideux… Le toit a besoin de quelques réparations, mais, pour l'instant, il ne pleut pas à travers, rassurez-vous… Et puis, attendez de voir la salle de bains… Elle est splendide et ultramoderne, dans le style romain. Je ne peux pas en dire autant de celle du manoir !

— C'est parfait, en effet, dit-il.

Et il était sincère. Il se fichait éperdument des tableaux.

Elle regarda autour d'elle, cherchant visiblement quelque autre avantage à souligner.

— Oh ! J'ai oublié de vous expliquer, pour le lit…

Matthew ne voyait pas bien en quoi une explication était requise. Il s'agissait d'un énorme couchage à baldaquin qui remplissait la pièce de sa masse extravagante. Il faisait face à la fenêtre panoramique, et la lumière du soleil révélait une jungle d'oiseaux, de papillons et de serpents sculptés finement dans le bois des colonnes.

— Je sais que ce lit peut paraître démesuré, seulement, figurez-vous qu'il a une histoire… On raconte que mon aïeul l'a gagné, il y a un siècle, au cours d'une partie de bras de fer contre le petit prince de Tahiti, expliqua-t-elle en lissant le couvre-pieds immaculé. Le prince n'avait encore que douze ans, à l'époque… Mon aïeul n'a pas vraiment joué franc-jeu, sur ce coup-là, vous ne trouvez pas ?

— A moins que le prince n'ait été vraiment très malin, répliqua Matthew, un sourire aux lèvres.

— C'est ce que j'ai toujours pensé, lança-t-elle gaiement, l'air ravi de constater qu'ils étaient d'accord sur un point aussi crucial.

— Enfin... Il est très confortable, et c'est la raison pour laquelle nous l'avons conservé bien qu'il prenne toute la place... Voyons... En dehors de cette pièce, il y a une kitchenette — en piteux état, je dois bien l'avouer —, et la salle de bains qui, par contre, est somptueuse. En fait, nous nous sommes toujours demandé si mon grand-père ne donnait pas ses rendez-vous galants ici... D'où le nom de « garçonnière ». Un lit immense, des termes romains ou presque... Et quasiment rien d'autre... Ça donne à réfléchir, non ?

Matthew eut un petit sourire. Il était sous le charme.

— Bien ! A présent, bas les masques ! Le brûleur gauche de la cuisinière ne fonctionne pas... Après avoir tiré la chasse des toilettes, il faut agiter un peu la poignée vers la gauche, sans quoi l'eau coule sans discontinuer... Le lampadaire, dans cette pièce, a tendance à siffler quand il pleut. Et, pour finir, le robinet de la cuisine a une fâcheuse tendance à goutter au moment précis où on essaie de s'endormir.

Elle laissa échapper un long soupir. Elle était apparemment arrivée au bout de sa litanie et gratifia Matthew d'un sourire crispé.

— Je suis vraiment désolée. J'espère simplement que c'est un peu mieux que la prison...

Perdu dans la contemplation du paysage, par la fenêtre, Matthew l'avait à peine écoutée.

Le mot « prison » le ramena à la réalité.

— *Un peu mieux que la prison ?* répéta-t-il en se retournant lentement.

— Aïe ! marmonna Natalie, le front barré d'une ride soucieuse. Quelle idiote... J'aurais dû m'en douter... Vous deviez être dans une de ces cellules de luxe réservées aux VIP…

L'espace d'une seconde, Matthew resta confondu. Son contrôleur judiciaire mis à part, Natalie était la première personne à prononcer les mots « prison » et « cellule » en sa présence. Tous les autres, y compris sa sœur, avaient définitivement banni ces vocables, les reléguant avec d'autres, tout aussi honteux, qu'on ne prononçait jamais en bonne société… Un peu comme *hémorroïdes.*

Evidemment, ils pensaient bien faire. Et s'ils se comportaient comme s'il ne s'était jamais rien passé, c'était parce qu'ils étaient convaincus que Matthew ne souhaitait qu'une chose : oublier cette période. Seulement, ils n'avaient rien compris. La prison faisait partie de lui, dorénavant. Le souvenir de l'enfermement le brûlait comme s'il avait été marqué au fer rouge. Ça lui était arrivé, et il n'oublierait jamais.

Et voilà que Natalie Granville prononçait le mot fatidique le plus naturellement du monde. Elle n'en avait pas peur, elle. Elle ne semblait pas considérer que Matthew avait été sali par son incarcération…

Qui sait ? Peut-être un jour pourrait-il lui en parler ouvertement… Lui dire la déchéance et l'état de panique, lui décrire les sentiments mélangés de claustrophobie, de fureur et de honte, et l'engourdissement qui avait fini par s'emparer de lui.

Matthew se secoua. Qu'est-ce qui lui prenait, tout à coup ? Il ferma les yeux, s'efforçant de revenir à la réalité. Enfin ! Il connaissait à peine cette fille !

Son exubérance devait être contagieuse…

Lorsqu'il rouvrit les paupières, elle le dévisageait avec inquiétude. Elle laissa passer une seconde et geignit, en portant une main à son front.

— Quelle maladroite je fais… ! J'ai dix chambres, dans la maison. J'aurais dû vous installer dans l'une d'elles, tout simplement ! Seulement, je... J'ai pensé que vous vous sentiriez plus libre, ici... Qu'après votre incarcération, vous préféreriez de loin votre intimité à la perspective de robinets parfaitement étanches...

Matthew songea qu'il était resté silencieux trop longtemps. Il semblait avoir perdu, entre autres, l'habitude de converser à un rythme normal.

— Et vous avez eu parfaitement raison. L'intimité compte énormément pour moi, en ce moment. Et cette garçonnière me convient très bien...

Il venait de remarquer certains détails.

Sur la table de nuit, un vase rempli de fleurs fraîches, que la jeune femme avait dû couper dans son jardin. Deux livres de poche — des romans policiers — posés près du vase, ainsi qu'un broc et un verre de cristal. « *Bienvenue* » avait-elle écrit sur son petit mot. Et elle était sincère.

— Vraiment, c'est magnifique, insista-t-il. Et croyez-moi, même si les robinets fuient, c'est bien mieux qu'en prison... Il n'y a aucune comparaison.

— Vous êtes sérieux ? s'enquit-elle en fronçant le nez. Vous n'êtes pas obligé de...

— Tout ce qu'il y a de plus sérieux ! Vous êtes très généreuse. Beaucoup plus que tous ceux qui m'ont entouré ces dix dernières années.

Toujours perplexe, elle le considérait attentivement. Et, petit à petit, il la vit se détendre.

Matthew jeta un coup d'œil aux mains de la jeune femme. Ses doigts étaient fins, sa peau hâlée, ses ongles courts et laissés naturels, terriblement féminins.

Alors, à son grand effroi, il sentit soudain ses sens s'éveiller avec violence. Il se pencha pour ramasser son sac. Ce genre de réactions était des plus malvenu. Quel cliché ! « *Prenez garde, mesdames… C'est un instable. Il se sent seul et manque de tendresse… Pas étonnant : il vient de sortir de prison…* »

Non. Il ne se laisserait pas dériver. Il s'en fit silencieusement la promesse. Il ne se laisserait pas aller à séduire Natalie Granville.

— Le temps passe, annonça-t-il d'un ton ferme. Je ferais bien de me mettre au travail. Je vais déballer mes affaires et, ensuite, vous me direz par où commencer. D'accord ?

— Entendu ! répondit-elle, lissant une dernière fois le couvre-pieds. Je vais vous laisser seul… Quand vous aurez besoin de moi, vous me trouverez dans la cuisine… C'est la grande porte verte, à l'arrière de la maison.

Elle effleura le bouquet d'une main légère, et se dirigea vers la sortie.

… Pour se retourner, à la dernière seconde.

— Attendez, dit-elle d'un ton pensif, vous avez dit que j'étais plus généreuse que votre entourage depuis dix ans… Je croyais que vous n'en aviez passé que trois, en prison…

— C'est exact, dit-il sans cesser de tirer ses T-shirts de son paquetage.

— Je vois…

Elle laissa échapper un petit rire, un peu comme si elle venait tout juste de comprendre.

— Je vois, répéta-t-elle. Dans ce cas, si vous voulez mon avis, c'est une bonne chose que vous soyez venu jusqu'à Firefly Glen. Il est grand temps que vous preniez un nouveau départ !

Dieu, qu'elle détestait prospecter de nouveaux clients ! Se débarrassant de son inconfortable tailleur avec délectation, Natalie enfila un short et un T-shirt à la vitesse de l'éclair, avant de se précipiter dans la cuisine.

Elle passa en revue le contenu de son garde-manger. Il n'était pas encore 10 heures du matin et, vu l'heure matinale à laquelle il était arrivé, Matthew n'avait certainement pas pris le temps de déjeuner. Elle avait la ferme intention d'y remédier.

Elle allait lui préparer un petit déjeuner inoubliable.

Elle sortit des œufs, des fruits frais, du pain complet, des saucisses, de la gelée de pommes confectionnée par ses soins, et les déposa en vrac sur l'immense plan de travail central, tout en songeant, à part elle, qu'elle en faisait peut-être un peu trop.

La veille, elle avait passé la journée entière à repeindre l'intérieur de la garçonnière, à en nettoyer les vitres et à y accrocher de nouveaux rideaux.

Et à présent, ce festin, digne d'un roi plus que d'un homme à tout faire…

Toutefois, elle voulait le chouchouter. Quelque chose dans ses yeux lui disait que cela faisait bien longtemps que personne ne s'était occupé de lui. De plus, elle souhaitait lui prouver qu'elle avait quelques talents, elle aussi. Histoire de le rassurer totalement. Elle n'était pas aussi écervelée qu'elle avait dû le paraître lors de leur première rencontre, loin de là.

Elle grimaça au souvenir de la bouteille de *Jack Daniel's*, de son Bikini, et de la robe de mariée dont elle avait revêtu la statue. Puis, les mains pleines de produits frais, elle referma le réfrigérateur d'un coup de genou. Matthew Quinn devait la prendre pour une folle. Ce qui était fort contrariant, car elle se plaisait à croire qu'elle était dotée d'un sens pratique peu courant chez les Granville.

Ainsi, sa pépinière était prospère — ce qui avait exigé d'elle une bonne dose de savoir-faire ; et elle gagnait relativement bien sa vie. En fait, si cette maison ne lui avait pas coûté aussi cher, elle aurait été à l'aise, financièrement parlant.

Par ailleurs, elle se targuait d'être une excellente cuisinière. En fredonnant, elle entreprit de casser des œufs dans le grand saladier en acier inoxydable de sa grand-mère. Matthew comprendrait vite qu'il n'avait pas fait une erreur si grossière, après tout.

Elle l'entendit frapper à la porte. Elle glissa son plat dans le four, et courut ouvrir.

— Coucou ! lança-t-elle en léchant la gelée de pomme collée à ses doigts.

Puis elle se recoiffa vite fait.

— J'espère que vous avez faim ! poursuivit-elle.

Mais le visage qui la considérait n'était pas celui de Matthew Quinn. C'était celui de Bart Beswick, le fringant milliardaire avec lequel elle avait passé le samedi précédent à ne pas se marier.

Et ce visage, pourtant si séduisant, d'ordinaire, était singulièrement crispé, ce matin-là.

— Tu attendais quelqu'un d'autre, on dirait..., persifla-t-il d'un ton glacial. Peut-on savoir qui, au juste ?

Avec un gros soupir, Natalie s'écarta de la porte pour le laisser entrer.

— Salut, Bart... Tu sais, mon grand..., dit-elle avec un sourire, c'est exactement le genre de questions, posées sur ce ton, qui m'a poussée à ne pas devenir Mme Beswick.

Bart pénétra dans la cuisine avec raideur.

— Je ne te trouve pas drôle, Natalie.

Elle vérifia la cuisson de son soufflé, dans le four.

— Ne dis pas de bêtises ! Tu n'y mets pas du tien, c'est tout. Conviens que seul ton ego en a pris un coup et tu t'en remettras !

— Pas mon ego, Natalie. Mes sentiments !

— Tu parles ! Cela dit, si tu arrêtes de bouder, je t'invite à partager avec nous ce magnifique petit déjeuner.

— Impossible. J'ai un rendez-vous. Sans compter que, de toute évidence, ce « nous » ne va pas me plaire. Je me trompe ?

Natalie ne répondit pas. Il attendit qu'elle poursuive. Toutefois, comme elle gardait le silence, il dut s'avouer vaincu.

— D'accord... Voici le motif de ma viste : je suis venu te demander ce qu'il était advenu du bracelet de ma mère.

Tirant deux feuilles sténographiées de sa poche, il entreprit de les relire.

— Il n'est pas sur cette liste. J'ai vérifié trois fois... J'ai même demandé à mon comptable de jeter un coup d'œil. En vain... Le bracelet ne faisait pas partie des objets que tu m'as restitués.

Natalie s'essuya les mains sur une serviette humide et, traversant la pièce, alla examiner la liste par-dessus l'épaule de Bart.

— Je n'en reviens pas, Bart ! s'exclama-t-elle en secouant la tête. Tu as vraiment fait un inventaire ? Tu as gardé la trace de tous les cadeaux que tu m'as offerts ?

— C'est-à-dire..., commença-t-il en s'éclaircissant la gorge. Cela m'a paru prudent, voilà tout !

Natalie faillit perdre son sang-froid. Qu'était-il en train de sous-entendre, au juste ? Est-ce qu'il s'imaginait un seul instant qu'elle avait volé cet horrible bracelet, tellement vulgaire qu'elle ne l'aurait porté pour rien au monde ?

Cependant, elle se calma aussitôt. C'était Bart, dans toute sa splendeur. Ils se connaissaient depuis la maternelle et, de tous temps, Bart avait été terriblement... pragmatique. Et maniaque. A trois ans déjà, il se mettait à pleurer quand ses peluches n'étaient pas correctement alignées. A douze, il exigeait que ses crayons soient tous de la même taille...

Dès lors, il n'y avait rien de bien surprenant à ce que, parvenu à la trentaine, il dresse une liste exhaustive de ses présents, de leur valeur, de la date à laquelle il les avait offerts et de celle à laquelle il les avait récupérés !

— Bien ! Si tu le dis... Je pensais sincèrement t'avoir tout rendu, déclara Natalie en s'éloignant.

— Eh bien, non. Pas le bracelet de ma mère. Tu vois de quoi je parle... Le bracelet en diamants. Des diamants de bonne taille, même.

— Bien sûr que je m'en souviens ! s'exclama-t-elle en glissant deux tranches de pain dans le toaster.

Cette affaire ne lui disait rien qui vaille.

S'il n'était pas dans le coffret qu'elle lui avait remis, le jour où elle avait rompu, elle n'avait aucune idée de l'endroit où pouvait se trouver ce fichu bracelet.

— Je le chercherai. Promis. Tu veux un muffin ?

— Non, je te remercie. Tu ne veux pas aller le chercher ? Je t'attends ici.

Natalie prit une longue inspiration.

— Le bracelet ? Bart ! Comme tu le vois, je suis en train de cuisiner. Je le chercherai plus tard, et je t'appellerai.

— C'est que je préférerais...

Cette fois, elle explosa.

— Ecoute-moi bien ! dit-elle, les mains sur les hanches. Je sais que tu ne dormiras pas tranquille tant que tu n'auras pas coché cette case sur ta jolie liste, d'accord. Mais pour le moment, je suis occupée... Je le retrouverai, je te le promets. Cependant, permets-moi de te dire que tu pourrais y mettre un peu plus de formes ! Je ne suis pas obligée de te le rendre. Si tu ne me crois pas, cherche donc le sens du mot « cadeau » dans un dictionnaire !

— Tu ne garderais tout de même pas le bracelet de ma maman !

Il semblait tellement horrifié qu'elle en eut presque honte. Malgré sa mesquinerie occasionnelle et involontaire, Bart était un homme charmant. Elle-même avait été un temps convaincue que son attitude ferait un bon contrepoids à sa propre nature impulsive.

— Bien sûr que non, dit-elle d'un ton rassurant. Ecoute... Tu surveilles mon soufflé et je monte voir si je le trouve, d'accord ? Et si Matthew arrive, sers-lui un café.

— Matthew ? répéta Bart, les sourcils froncés.

— Le nouvel homme à tout faire. Il commence ce matin, précisa-t-elle en croquant dans un morceau de melon.

— Oh, un employé, dit-il, se détendant visiblement. Vu ce que tu as préparé, j'ai un instant pensé que tu... Enfin, tu sais ce que j'ai imaginé. Dis-moi, s'il s'agit d'un simple domestique, pourquoi te mets-tu en quatre ?

Elle grommela, résistant difficilement à l'envie de lui envoyer la tranche de melon dans la figure.

— Encore une bonne raison de ne pas t'avoir épousé, Bart. Tu es d'un snobisme incroyable !

Lorsque, une vingtaine de minutes plus tard, Matthew passa la tête dans l'entrebâillement de la porte de la cuisine, la seule personne qu'il vit était un homme, regardant par la fenêtre, une tasse de café dans une main, tandis que de l'autre il pianotait impatiemment sur le comptoir.

Ce n'était pas l'individu qui avait aidé Natalie à rentrer, mettant ainsi en danger ses jolies chaussures, quelques jours auparavant.

Celui-ci était plus grand, plus carré. Il avait des cheveux blond paille et était vêtu avec le conformisme d'un banquier d'une cinquantaine d'années. Et, alors que Stuart était du genre à aller jouer au tennis en voiture de sport, ce nouveau visiteur semblait plutôt du style à se rendre sur un court de golf — sport dans lequel il n'excellait probablement pas — en Mercedes.

Bien sûr, Matthew ne se souciait guère de tout cela. Toutefois, il était intéressant de constater que les hommes tournaient autour de Natalie Granville comme un essaim d'abeilles autour d'une ruche.

Bien que la porte soit déjà ouverte, il frappa poliment. L'homme se retourna et Matthew fut frappé de voir qu'il était bien plus jeune qu'il ne l'avait d'abord pensé. En fait, il ne devait pas être beaucoup plus âgé que Natalie elle-même.

— Bonjour, dit-il en posant précautionneusement sa tasse. Vous devez être le nouvel homme à tout faire. Matthew, c'est bien cela ?

Matthew hocha la tête et lui tendit la main.

— Matthew Quinn, précisa-t-il.

L'inconnu battit des paupières et un quart de seconde s'écoula avant qu'il ne tende la main à son tour.

— Bart Beswick, répondit-il d'un ton qui semblait indiquer que le nom était impressionnant en soi.

Matthew se demanda s'il avait toujours l'air aussi coincé ou bien s'il était légèrement contrarié. Puis il comprit. Omettant d'adopter l'attitude soumise d'un domestique, il s'était adressé à son interlocuteur en égal, et Beswick n'avait pas apprécié.

Les matons, en prison, n'appréciaient guère plus, d'ailleurs.

Tant pis. Il n'était plus en prison. Et il était hors de question qu'il étrenne sa nouvelle vie en faisant la révérence à tous les millionnaires qui passeraient sur son chemin. A ce qu'il semblait, Firefly Glen en regorgeait et, apparemment, leurs manières laissaient à désirer. Même à son époque glorieuse, Matthew n'avait jamais traité un employé avec une telle condescendance.

Il s'avança vers la cafetière.

— Natalie n'est pas là ?

— Non. Elle est montée. Elle est partie chercher quelque chose il y a bien...

Il consulta sa Rolex et sursauta, perdant momentanément sa superbe.

— Ça fait presque une demi-heure ! s'exclama-t-il en vidant sa tasse dans l'évier.

Voilà qui expliquait cette impatience. Natalie avait fait attendre Bart — encore une chose qu'il n'appréciait pas, manifestement.

— Peut-être qu'elle ne trouve pas ! suggéra Bart, l'air de se parler à lui-même. Ou, plus vraisemblablement, elle a complètement oublié ce qu'elle était montée faire... Qui sait si elle ne s'est pas mise à rempoter un gardénia ou à ranger son placard ? Les Granville n'ont pas de suite dans les idées, et cela depuis six générations.

Sur ces mots, s'apercevant sans doute que ce n'était pas le genre de discours à tenir devant un employé, il se reprit et passa rapidement en revue le jean et la chemise de travail de Matthew. Il dut en reconnaître la marque, vestige des jours où Matthew dépensait encore des sommes folles en vêtements, car il demanda :

— Ecoutez, monsieur... euh... Quinn, c'est bien ça ? Vous m'avez bien dit que vous étiez le nouvel homme de main, non ?

— C'est exact.

— Désolé. Vous n'en avez pas l'allure...

Il hocha la tête, comme s'il venait de prendre la mesure de son incivilité.

— Pardonnez-moi. Je n'ai pas pour habitude de me comporter ainsi. Seulement, voyez-vous, Natalie a réussi à m'exaspérer, ce matin. C'est que je vais être en retard, moi ! Où peut-elle bien être, bon sang ?

Il se passa la main dans les cheveux, fixa la porte de la cuisine avec une impatience affichée, fit quelques pas et regagna le comptoir.

— J'ai un rendez-vous très important… Elle ne pense jamais à ce genre de choses. Autant que vous le sachiez tout de suite, si vous voulez vraiment travailler ici. Les Granville ont toujours vécu à leur propre rythme. Et sur leur propre planète…

Matthew avala une longue gorgée du café, qui était divin, puis soupira. La dernière phrase de Bart lui avait donné à penser que l'homme était réellement contrarié et il ne souhaitait pas susciter de nouvelles confidences.

Au bout d'une quinzaine de secondes, Bart poussa à son tour un gros soupir de découragement.

— Et puis zut ! Je ne suis pas son larbin. Ça ne vous dérangerait pas de surveiller son maudit soufflé ?

— Pas de problème, répondit Matthew en jetant un coup d'œil dans le four.

— Merci.

Il commença à rassembler des papiers et les glissa dans la poche de sa veste.

— Et heu… Je suis désolé d'avoir été quelque peu désobligeant, tout à l'heure. J'étais… Euh. J'ai mon lot de soucis, en ce moment.

— Ne vous inquiétez pas, répondit Matthew, un peu plus chaleureusement, cette fois.

Après tout, il ne devait pas arriver souvent à son interlocuteur de s'excuser à deux reprises dans la même matinée…

— Une dernière chose… Si vous trouvez un bracelet serti de diamants dans le réfrigérateur ou ailleurs, demandez à Natalie de m'appeler immédiatement. Cet objet a beaucoup de valeur et il m'appartient.

Matthew leva un sourcil interrogateur.

— Des diamants au petit déjeuner ? C'est une recette familiale ?

Bart leva les yeux et, pour la première fois, lui sourit avec sincérité. Cela le transformait totalement ; Matthew se surprit à lui sourire en retour.

— Je vais vous dire une bonne chose, mon vieux ! s'exclama Bart en lui serrant la main. S'il ne vous arrive rien de plus bizarre, pendant votre séjour au *Pavillon d'Eté*, que de manger des diamants au petit déjeuner, vous pourrez vous considérer comme extrêmement chanceux !

5.

Bien que fort hésitant, Matthew commença à grimper lentement les escaliers du manoir.

— Natalie ? Natalie ?

Elle ne répondait pas. Ce n'était pas normal. Il avait attendu dans la cuisine une bonne demi-heure encore après le départ de Bart. Natalie s'était donc volatilisée depuis plus d'une heure.

Le soufflé était retombé depuis bien longtemps et avait pris une couleur inquiétante. soucieux, Matthew avait baissé le thermostat du four et remis le lait, les fruits et la gelée de pommes dans le réfrigérateur. Puis, l'absence de la maîtresse de maison se prolongeant, il avait entrepris de la chercher.

Elle ne se trouvait pas au rez-de-chaussée, il en était quasiment certain : sans cesser d'appeler la jeune femme, il avait poussé une bonne dizaine de portes, ouvrant sur des pièces désertes.

Un salon n'abritait qu'une pile de cartons pleins d'engrais. Un autre, tapissé de miroirs, ne renfermait rien d'autre qu'une énorme harpe et un petit bocal dans lequel un poisson rouge tournait en rond.

Matthew avait aussi admiré les boudoirs, la salle à manger et le bureau, noté les miroirs au mercure à peine mouchetés, les plafonds travaillés et les candélabres aussi impressionnants que poussiéreux — mais il n'avait pas trouvé Natalie.

Excentricité héréditaire ou pas, cela ne lui disait rien qui vaille. Aussi, et bien que conscient d'outrepasser les droits d'un simple employé, avait-il décidé de s'aventurer au premier étage.

Sur le chemin, il remarqua quelques marches endommagées. Il lui faudrait les réparer très vite, avant que quelqu'un ne se blesse en tombant.

— Natalie ? Natalie ? Ça va ? continua-t-il d'appeler.

En vain.

Arrivé à l'étage, il se remit à ouvrir les portes. Il y avait une chambre bleue, puis une autre, rose. Un dressing, une magnifique salle de bains lambrissée, un salon très ensoleillé et couvert de dorures…

Enfin, il poussa la bonne porte.

Natalie était agenouillée à côté d'une commode en chêne, au charme désuet, à l'autre extrémité d'une salle de jeu fort encombrée.

Tous les tiroirs de la commode étaient ouverts, leur contenu coloré déversé sur le sol. La jeune femme, elle, paraissait bouleversée, prostrée la tête entre les mains, entourée de ce fatras invraisemblable.

Elle l'entendit entrer. Et lorsqu'elle leva les yeux vers lui, il s'aperçut que son visage était ravagé, ses yeux rougis et enflés.

Elle avait pleuré.

— Natalie ! Que se passe-t-il ?

Elle prit une inspiration saccadée et s'essuya les joues.

— Rien. Ce n'est rien… Je suis furieuse après moi-même, voilà tout. J'étais en train de chercher ce fichu bracelet… et je me suis retrouvée coincée ici…

— Comment ça, coincée ? répéta-t-il en s'accroupissant auprès d'elle.

Au hasard, elle s'empara d'un mouchoir brodé de petites fleurs violettes et se moucha bruyamment.

— C'est cette stupide porte, expliqua-t-elle. Je n'y pense jamais. Elle se referme toute seule et…

Ses yeux s'écarquillèrent soudain.

— Matthew ! Attention ! La po…

Hélas, il était trop tard. La porte, superbement travaillée, venait de se refermer en silence, laissant juste entendre un déclic de mauvais augure.

— Laissez-moi deviner… Je parie qu'elle ne s'ouvre pas de l'intérieur…

Natalie secoua la tête en reniflant.

— Gagné… Ça fait des années. Je me suis toujours promis de la réparer, seulement… pour une raison ou pour une autre, je n'en ai jamais fait une priorité, ajouta-t-elle avec un petit sourire crispé.

C'était fort compréhensible. Une porte abîmée n'était rien, en comparaison du toit qui laissait passer la pluie, de la cage d'escalier qui pourrissait doucement et des vitres brisées.

— J'ai appelé mais, dans une demeure si vaste, c'est peine perdue…

Effectivement, il n'avait rien entendu. Ce qui n'avait rien de surprenant : cette maison était immense, en effet.

Se relevant, Matthew alla examiner la porte. Et, comme c'était son jour de chance, les gonds se trouvaient à l'extérieur…

— D'habitude, quand je monte, je cale une chaise contre le chambranle, dit Natalie d'un ton morne. Et, depuis que je me suis cassé la cheville, l'an dernier, en tombant dans l'escalier, j'emporte un téléphone avec moi, de manière à pouvoir appeler Harry, en cas de problème… Harry est le shérif de Firefly Glen. En général, après m'avoir répété, pour la énième fois, qu'il est dangereux de vivre ici toute seule, il finit par m'envoyer de l'aide.

— Et cette fois-ci ? Ni chaise ni téléphone ?

— C'est précisément pour cela que je m'en veux autant, soupira-t-elle. J'étais tellement énervée, tellement furieuse après Bart de s'être montré aussi mesquin, avec son histoire de bracelet, que j'ai complètement oublié de…

S'interrompant soudain, elle porta une main à ses lèvres.

— Bon sang… Le soufflé ! Vous avez vu Bart ?

Matthew ne put réprimer un sourire. Le discours de la jeune femme était pour le moins décousu.

— Oui.

— J'espère qu'il n'a pas été désagréable, déclara-t-elle, d'un ton dubitatif.

Comme Matthew restait muet, elle gémit.

— Si ? insista-t-elle.

— Ça aurait pu être pire, répondit-il. Il n'est pas resté très longtemps. Il m'a chargé de vous dire qu'il avait un rendez-vous important.

— J'en étais sûre… Il a été désobligeant… Bon sang, ce type peut être d'un tel snobisme, par moment !… Ne le prenez pas pour vous, cependant. Il est un peu contrarié parce que nous devions nous marier samedi dernier. Et, à présent, il est persuadé que j'ai perdu le bracelet en diamants de sa mère… Que je n'ai pas, d'ailleurs… Je n'arrive pas à le retrouver.

Elle souleva quelques vêtements, au hasard, et soupira de nouveau.

— Et puis il a dû penser que je vous avais embauché pour votre physique avantageux… Il va être dévoré de jalousie pendant des semaines… Pourtant, il est adorable, quand il veut.

— Je vous crois sur parole, murmura Matthew dans un sourire. Toutefois, ce qui m'intéresse, pour l'instant, c'est de trouver un moyen de nous sortir d'ici, ajouta-t-il en regardant autour de lui.

Elle finit par se lever, faisant tomber au passage les mouchoirs, bandeaux et épingles à cheveux qui se trouvaient sur ses genoux.

Elle s'était changée et portait à présent un short en jean et un T-shirt qui laissait voir son nombril. Elle était terriblement sexy et Matthew ne prit pas le risque de la contempler très longtemps.

— Je ne vois plus qu'une solution..., commença-t-elle d'un ton quelque peu mélodramatique.

Il attendit.

— La fenêtre, puis le toit, le pignon, et pour finir le gros sapin. Et si c'est un peu dangereux, je l'ai déjà fait à plusieurs reprises et je progresse... La première fois, je me suis cassé le coude gauche.

— C'est bien ce que je craignais.

— Je n'avais que onze ans, je vous signale ! souligna-t-elle en fronçant le nez. A présent, je suis beaucoup plus douée !

Matthew s'avança vers la fenêtre, souleva la vitre et se pencha pour regarder au-dehors.

Bien qu'ils ne fussent qu'au premier étage, ces palais à l'italienne étaient terriblement hauts de plafond et la terrasse de marbre, au-dessous de lui, lui paraissait fort éloignée. De surcroît, elle ne pourrait en aucun cas amortir une chute.

Pis encore, il était évident que le toit n'était pas fiable. Terriblement incliné, il était criblé de trous. Quant à savoir combien des tuiles restantes étaient descellées et où le toit risquait de s'écrouler sous les pas...

Cependant, si c'était la seule solution... Il ouvrait la bouche pour annoncer à la jeune femme qu'il allait tenter l'aventure et remonter lui ouvrir, lorsqu'il vit qu'elle avait déjà retiré ses souliers.

— C'est plus sûr, pieds nus, expliqua-t-elle. On a une meilleure prise.

— Natalie, je ne crois pas que…

Elle le considéra d'un air sévère.

Ses cheveux étaient tout emmêlés et, avec ses yeux de petite fille en larmes, elle avait l'air à la fois déterminée et un peu ridicule.

Bref, elle était adorable.

— Par pitié, Matthew, ne jouez pas les nobles chevaliers. Il est hors de question que j'attende ici pendant que vous allez risquer votre vie ! Nous ne sommes plus au Moyen Age ! Nous sommes enfermés par ma faute et je tiens à ce que ce soit moi qui nous tire de ce pétrin. C'est une question d'amour-propre… Vous comprenez ça, non ? conclut-elle en lui effleurant le coude, un sourire complice aux lèvres.

Il devait bien le reconnaître : il comprenait parfaitement.

Natalie se retint au pignon avec son genou et se mit à jurer.

— Je rêve… Ce fichu sapin a perdu plusieurs branches, l'hiver dernier, quand il a gelé… et bien sûr, parmi elles, il y a précisément celle dont j'aurais besoin.

Entendant Matthew s'esclaffer, elle se retourna. Il était juste derrière elle, et se déplaçait sur ce pignon, avec une aisance déconcertante.

— Excusez-moi, fit-elle d'un ton penaud. Mon grand-père aurait eu une attaque, s'il m'avait entendue parler ainsi.

— A mon avis, il en aurait eu une encore plus sévère s'il vous avait vue, à cheval sur ce comble !

Il se rapprocha, et elle dut bien reconnaître qu'elle était rassurée par sa présence... ce qui était un peu contrariant, surtout après sa tirade sur le machisme moyenâgeux.

— Dois-je déduire de votre langage coloré que nous avons un problème ?

— Oui. La branche par laquelle je descends, d'habitude, a disparu. Elle a dû se briser l'an dernier, pendant la tempête de neige.

Elle se mordilla la lèvre en examinant le sapin. Peut-être, en sautant, aurait-elle pu atteindre la plus grosse, mais quelque chose lui disait que Matthew ne la laisserait pas faire.

— Bon sang ! C'est le bouquet ! grommela-t-elle.

— Vous ne pensez pas que nous devrions faire demi-tour ? Il doit y avoir une autre solution !

Natalie détestait renoncer. Cette autre branche n'était qu'à quelques malheureux centimètres...

Cependant, elle savait admettre ses défaites.

— Entendu, dit-elle aussi gracieusement que possible. Vous avez sûrement raison. Nous trouverons peut-être une sortie, par l'aile Est de la maison.

Pour cela, néanmoins, ils devaient redescendre du pignon. Serrant les tuiles entre ses doigts de pied, elle commença à reculer. Au bout de quelques pas maladroits, elle s'aperçut, à son grand désarroi, que Matthew avait une vue imprenable sur sa chute de reins — qui n'était probablement pas à son avantage dans ce vieux short effiloché.

Et dire que c'était elle qui avait insisté pour descendre en premier !

Sa gêne était si grande qu'elle en oublia toute prudence. Son pied dérapa sur une tuile descellée, lui faisant perdre l'équilibre, et elle commença à vaciller.

Elle poussa un petit cri. Son cœur se mit à battre la chamade et la peur s'empara d'elle.

Elle tenta de se raccrocher à quelque chose, n'importe quoi — en vain. Ses doigts ne trouvèrent que le vide. Puis, comme dans un rêve, elle se résigna. Tant pis, elle allait tomber et se briser le cou.

Pourtant, subitement, elle sentit les mains puissantes de Matthew autour de sa taille. Il la tira vers lui, et elle se retrouva collée à son corps ferme.

— Du calme, murmura-t-il. Tout va bien.

Elle se laissa aller contre lui, le temps de recouvrer son sang-froid, puis elle laissa échapper un petit rire tremblotant.

— Merci… Je crois que ça aurait été la fin de la dynastie des Granville.

Malgré la légèreté du ton, la voix était chevrotante. Aussi, refermant les bras autour des épaules de la jeune femme, Matthew la fit se blottir contre lui et s'efforça de la réconforter.

— Tout va bien, répéta-t-il doucement.

Elle entendait battre son cœur : de toute évidence, il avait eu peur, lui aussi. Ce qui était tout naturel… Il aurait eu quelques difficultés à expliquer ce qu'il faisait, lui, un ancien détenu, sur ce toit, au-dessus du corps démantelé de la propriétaire des lieux…

— Je voudrais rester assise quelques minutes, dit-elle. J'ai l'estomac un peu chaviré…

— On peut passer la journée ici, si vous voulez. La vue est magnifique !

— Je suis vraiment désolée, Matthew. Il semble que la situation s'aggrave, dans cette maison, et je ne peux pas tout réparer d'un coup, dit-elle. J'ai bien hérité d'une somme rondelette, qui était censée m'aider à l'entretenir, seulement entre les impôts divers et le coût faramineux des réparations, je ne m'en sors pas.

— Ça ne m'étonne pas, dit-il d'un ton qui laissait penser qu'il compatissait.

— Et puis, on ne peut pas toujours réparer au meilleur prix, parce que imaginez-vous que cette fichue baraque a une valeur historique... Si un jour je me décide enfin à demander une aide gouvernementale pour restauration, il faut que tout soit authentique, jusqu'au moindre détail.

— C'est une bonne idée, cela ! Personne n'a jamais envisagé de demander une subvention ?

— Grands dieux non ! Mon grand-père aurait fait une attaque si quiconque lui avait suggéré une chose pareille. Il avait coutume de dire que, demander de l'argent à l'Etat, c'était vendre son âme au diable. Or, les Granville, de notoriété publique, sont terriblement indépendants. Il leur est insupportable d'avoir des comptes à rendre.

Elle poussa un long soupir et reprit :

— Mon grand-père n'avait pas tout à fait tort, d'ailleurs. J'ai déjà vu ce genre de choses se produire, dans la région. La responsable de la Fondation pour la restauration des monuments et sites historiques, Eslpeth Grant, est une véritable peste. Elle est du genre à venir fouiner ici, pour se plaindre ensuite de ce que le savon, dans la salle de bains, ne convient pas au style d'époque !...

Bien que Matthew ait laissé échapper un petit rire, la jeune femme songea qu'elle ne cessait de geindre, ce qui devait être sacrément ennuyeux. Matthew lui prêtait une oreille complaisante, probablement pour lui faire oublier sa frayeur.

C'était vraiment un type bien. Il était de bonne compagnie, même quand on se rendait ridicule. Qui plus est, et contrairement à la plupart des hommes, il ne semblait nullement décontenancé par la personnalité des Granville.

Ils restèrent silencieux pendant un bon moment, étrangement à l'aise, tous les deux, en cet instant volé.

Au-dessous d'eux, le monde paraissait soudain singulièrement irréel. De cette hauteur, il ressemblait à un décor de train électrique, très élaboré, charmant et bien fait, certes, mais totalement dérisoire.

Vanity Gap, la grand-route qui menait à Firefly Glen, serpentait en une minuscule bandelette argentée jusqu'à la ville de papier mâché nichée au milieu du vert luxuriant des arbres. Plus près d'eux, les fleurs sauvages recouvraient le flanc de la montagne, tel un patchwork aux couleurs vives, le rouge des coquelicots se mêlant au rose pâle des reines des prés et, par endroits, au jaune vif des boutons-d'or.

Le vent s'était levé et transportait avec lui les senteurs estivales de l'herbe fraîchement coupée, des roses trémières et de l'asphalte surchauffé.

Un chien aboyait au loin et, dans les branches du sapin, un piaf invisible poussait son chant glorieux.

Au bout de quelques instants, un drôle de petit oiseau, marron et jaune, avec des rayures blanches sur les ailes, se posa tout près d'eux et les examina avec intérêt. Son chant, très particulier, rappelait le miaulement d'un chaton.

— Regardez comme il est mignon, chuchota Matthew à son oreille. J'ai l'impression qu'il est en train de vous dire quelque chose…

La jeune femme sourit, ravie que l'oiseau se soit aventuré jusque-là. Elle n'en avait encore jamais vu de si près.

— Pic cendré à ventre jaune !

— Comment m'avez-vous appelé ? pouffa-t-il.

Elle sourit de nouveau, sous le charme de sa blague idiote, de l'oiseau, de la beauté du moment, puis resserra les bras de Matthew plus fermement autour de sa taille.

— Et si nous ne redescendions plus jamais ? lança-t-elle, tout à coup. Si on oubliait les robinets qui fuient, les factures impayées et l'horrible bracelet de Bart ? On n'a qu'à se cacher ici, pour l'éternité… Personne ne viendra nous chercher sur ce toit !

Hélas, elle avait parlé trop vite. Un bruit de moteur s'éleva soudain, venant troubler cette belle tranquillité. Une voiture remontait l'allée.

— J'ai bien peur que l'éternité soit de courte durée…

Natalie se pencha en avant et baissa la tête.

Au-dessous d'eux, une portière claqua et des bruits de pas se firent entendre. On les avait déjà repérés.

— Natalie ? Bon sang, fillette, qu'est-ce que tu fabriques sur ce toit ? Et qui est perché avec toi, là-haut ?

La jeune femme gémit, laissant retomber sa tête contre l'épaule de Matthew.

— J'en étais sûre… C'était trop beau. Ça ne pouvait pas durer…, dit-elle d'un ton théâtral. C'est mon cousin, Granville Frome. Plus grave encore, il a amené son copain Ward Winters… Là, je suis vraiment dans le pétrin !

Puis, élevant la voix, elle s'adressa aux visiteurs.

— Bonjour, Granville ! Bonjour, Ward. Vous tombez bien, tous les deux. Je me suis enfermée dans la salle de jeu… Tu sais, Granville, la pièce dont la porte est cassée…

Les deux hommes lui apparurent enfin. Et bien que Granville la contemplât d'un air furieux, il était nettement moins intimidant, depuis cette hauteur.

— Je ne le sais que trop ! dit-il. Et toi aussi, fillette. Comment as-tu fait pour t'enfermer une fois de plus ?

— Je suis désolée, répliqua-t-elle d'un ton penaud. Quelle chance que tu sois passé me voir ! Au fait… que viens-tu faire ici ?

— Nous avons entendu parler de ton nouvel employé et sommes aussitôt venus voir de quoi il retournait… Je suis sûr que tu n'as pas vérifié ses références. Et la rumeur court que tu l'héberges ici même !

Le vieil homme mit une main sur son front pour se protéger des rayons du soleil.

— Ne me dis pas qu'il est sur ce toit avec toi !

— Et si, répondit-elle en se retenant pour ne pas rire. Il est juste derrière moi.

— C'est ce que je vois ! dit-il d'un ton réprobateur. Bien… Je vais chercher une échelle.

Natalie se tourna vers Matthew.

— Je suis désolée. Il n'est pas bien méchant… C'est simplement sa manière de parler. Il est toute la famille qui me reste, vous comprenez, et il a un peu tendance à me surprotéger…

— Ce n'est pas grave, affirma Matthew avec un petit sourire. Cependant, par curiosité, j'aimerais savoir combien d'autres amis, fiancés et parents jaloux ou surprotecteurs vous avez encore dans les parages…

Natalie fronça le nez.

— C'est que… nous vivons dans une petite ville, vous savez… Les gens se préoccupent beaucoup les uns des autres. A un moment ou à un autre, chacun des habitants de notre communauté est susceptible de vous rendre visite !

— Et la population de Firefly Glen s'élève à… ?

— Un tout petit peu moins de deux mille âmes…

— Dans ce cas, autant attaquer les visites tout de suite, soupira Matthew. Parce que le cortège va me paraître long !

Assise dans la salle de dessin du lycée de Glen High, Suzie Strickland dévisageait Mme Putnam, la responsable du Département d'arts appliqués, avec une incrédulité non déguisée.

— C'est une plaisanterie, j'espère ! dit-elle. Vous n'allez tout de même pas refuser de me donner cette lettre de recommandation !

Mme Putnam prit un air peiné.

— Ce n'est pas que je refuse, Suzie ! Je ne peux pas, tout simplement ! Je suis désolée, mais il m'est impossible, en mon âme et conscience, de vous recommander pour l'obtention d'une bourse d'étude.

Suzie lui jeta un coup d'œil mauvais.

— C'est complètement dingue, cette histoire ! Vous savez aussi bien que moi que j'ai davantage de talent que n'importe quel élève de ce lycée. De la ville entière, même !

L'enseignante déploya ses mains en un geste éloquent.

— J'ai bien peur que le talent ne fasse pas tout.

Suzie laissa échapper un ricanement amer. Qu'est-ce qu'on lui chantait là ?

— Bien sûr que si !

— Pour obtenir une bourse d'étude, un étudiant doit également exceller en matière de travail en équipe, d'aide à la collectivité et de rapports avec autrui. Il doit coopérer, s'engager et s'engager pleinement. De surcroît, il doit être apte à suivre les instructions qui lui sont données.

— C'est une bourse d'étude, que je vise, madame Putnam, pas un prix de camaraderie !

Vexée, Mme Putnam se redressa de toute sa hauteur. Sans doute avait-elle été Prix de camaraderie toute sa jeunesse.

— Il serait peut-être temps que vous appreniez que votre talent ne vous autorise pas à rejeter toute forme d'autorité... Pas plus qu'il ne vous donne le droit de vous conduire de manière épouvantable avec vos camarades de classe, ou de refuser de rendre certains devoirs.

Suzie se redressa à son tour, avec raideur. C'était vraiment trop injuste... Jamais elle n'avait refusé de rendre un devoir. Et s'il lui était arrivé d'en interpréter les consignes à sa manière, c'était destiné à les rendre plus intéressants. On ne pouvait en aucun cas qualifier cela d'insubordination à l'autorité académique !

Par ailleurs, elle n'était pas « épouvantable » avec ses pairs. C'était plutôt le contraire. Les snobinards du lycée la harcelaient depuis si longtemps qu'elle avait cessé de leur répondre.

En revanche, elle était prête à parier un million de dollars que personne n'annoncerait jamais à cet odieux Mike Frome, par exemple, qu'il ne pouvait prétendre à la bourse d'étude de son choix.

Non qu'il en ait besoin, d'ailleurs. Son père avait ses entrées dans les meilleures universités de la côte Est.

C'était là toute l'injustice de Firefly Glen. Les enfants de riches passaient leur temps à se prélasser, pendant que les autres, ceux qui avaient eu le malheur de naître du mauvais côté de la barrière, rencontraient des obstacles.

En général, cela ne la dérangeait pas. Elle ne souhaitait pas être pom-pom girl. Pas plus qu'elle ne rêvait de posséder une décapotable toute neuve ou un jean à cent cinquante dollars. Et elle ne souffrait nullement de ne pas apparaître sur la liste des meilleurs étudiants du pays ni même sur celle du doyen.

En revanche, elle voulait de toutes ses forces cette fichue bourse. Désespérément.

Plus que tout au monde.

Soudain prise de tremblements, elle se leva. Elle devait à tout prix sortir d'ici. Elle serait morte sur place plutôt que de fondre en larmes devant cette mégère de Putnam.

— Merci quand même ! lança-t-elle d'une voix rauque. A demain !

L'enseignante soupira, sans doute pour signifier son désarroi de ne pouvoir communiquer avec cette étudiante rebelle.

— Vous savez, Suzie… Cela pourrait s'arranger… Si vous souriiez, de temps à autre… Si vous portiez des vêtements plus… féminins… Une jolie robe, par exemple… Et puis, ce serait peut-être une bonne idée que de retirer tous ces anneaux de vos oreilles et de vos arcades sourcilières… Vous n'êtes pas vilaine, loin de là ! Et vous seriez surprise de constater à quel point le monde peut être arrangeant quand on ne commence pas par lui cracher à la figure !

Sidérée, Suzie s'immobilisa. C'était donc ça ! Il lui suffisait de s'acheter une jupe rose, comme celles de Justine Millner, pour que les gens se mettent à l'apprécier ? Il lui suffisait de sourire, de minauder et de ronronner comme une chatte, pour que toutes les bourses du monde lui tombent dans les bras ?

Elle s'efforça, en vain, de trouver une réplique cinglante. Mais elle avait la gorge trop serrée, trop encombrée par la colère, pour répliquer.

Pivotant sur elle-même, elle sortit si précipitamment qu'elle se heurta à la porte. Et, comme c'était décidément son jour de chance, une fois sur le parking, elle aperçut Mike Frome qui venait disputer un match de basket-ball avec ses copains ringards.

Elle passa devant lui sans le voir, espérant que, ce jour-là, il la laisserait tranquille.

Bien sûr, ce ne fut pas le cas.

Faisant tourner sa balle sur son index d'un air songeur, il regarda Suzie se ruer vers sa voiture et se débattre avec la serrure. Evidemment, avec sa SUV flambant neuve, il n'avait pas ce genre de problème. Il disposait d'une de ces stupides télécommandes qui ouvrait automatiquement le véhicule.

— Hé, Suzie ! Comment ça va aujourd'hui ? lança-t-il.

Le ton supérieur et exaspérant en diable sous-entendait qu'elle aurait dû être flattée de faire l'objet de son attention.

Seulement Suzie n'était pas d'humeur.

Relevant la tête, elle le foudroya du regard — et si, s'apercevant qu'elle avait pleuré, il le lui faisait remarquer, elle était prête à le tuer sur place !

— Oh ! là, là ! fit-il en reculant d'un pas. Qu'est-ce qui te prend ? Qu'est-ce que je t'ai fait ?

Elle parvint enfin à déverrouiller la portière. Elle le gratifia d'un nouveau regard noir, espérant que le courroux suffirait à dissimuler ses larmes. En vain. Elle vit Mike s'attarder un instant : il avait remarqué ses yeux humides.

— Sérieusement. Tu es sûre que ça va ?

Mais la jeune fille ne voulait pas de sa mansuétude. Si jamais il se montrait trop gentil avec elle, elle craignait de se mettre à pleurer comme un nouveau-né. Claquant la portière, elle mit le contact et fit rugir le moteur.

— Ça ira beaucoup mieux le jour où je quitterai cette ville friquée et aussi minable qu'étroite d'esprit !

Sur ces paroles assassines, elle démarra avec un certain panache.

Malgré tout, elle n'était pas sortie du parking que les larmes lui brouillaient la vue.

6.

C'était vraiment quelque chose, que de regarder Natalie amadouer ces deux vieillards. Bien sûr, il lui en coûta une grosse omelette, six muffins à la myrtille et quelques crêpes, mais elle y parvint.

A force de babillages, de flatteries et autres taquineries, le temps que leur café soit fini, les deux vieux renards irascibles lui mangeaient dans la main.

Cela n'empêcha pas Granville Frome, au moment où il se levait enfin pour partir, de toiser Matthew de son regard bleu acier.

— Et maintenant, jeune homme, je suggère que vous nous raccompagniez jusqu'à notre voiture ! lança-t-il en se débarrassant des miettes de muffins tombées sur sa chemise,

Matthew les suivit sans protester. De toute évidence, l'injonction n'était pas négociable.

Au moment où il sortait, escorté par les deux octogénaires, il surprit l'expression amusée de Natalie.

— Désolée, articula-t-elle du bout des lèvres.

Et, comme à son habitude, elle avait froncé le nez. Pour une raison qui lui échappait, Matthew commençait à voir, en cette mimique, une marque de complicité et d'intimité.

Il eut juste le temps de lui adresser un clin d'œil désinvolte. Cet entretien ne lui faisait pas peur. Il venait de passer une bonne heure en compagnie des deux hommes, et il savait qu'il n'avait rien à redouter d'eux. Sous leurs dehors bougons, tous deux cachaient une sensibilité de midinette — surtout en ce qui concernait Natalie.

En regagnant leur véhicule, les deux vieillards s'adressèrent principalement l'un à l'autre.

— Bon sang ! s'exclama Granville. Regarde-moi ce vieux chêne ! Je le croyais mort depuis des années ! Tu te souviens du jour où tu as essayé de t'y pendre ?

— Je n'ai pas essayé de m'y pendre, espèce de menteur ! répliqua Ward, d'une voix tonitruante. C'était un pari. Un truc que Bourke prétendait avoir appris à la fac.

— Tu parles d'une invention ! s'esclaffa Granville. Tu as failli mourir, oui !

Ils continuèrent de s'invectiver amicalement jusqu'à la voiture, une Cadillac décapotable, vieille d'une bonne cinquantaine d'années, d'une longueur excessive, et paraissant aussi neuve qu'à sa sortie de l'usine.

Matthew dut se retenir pour ne pas éclater de rire à l'idée de ces deux fringants vieillards parcourant les rues de Firefly Glen, cheveux argentés au vent.

Devant son expression, Ward Winters eut un sourire radieux.

— Vous êtes amateur de belles voitures ?

En un éclair, Matthew revit tous les coupés qu'il avait possédés autrefois. Soignant son image de marque, il s'en offrait un nouveau chaque année, payant un peu plus cher le dernier modèle que le précédent.

Quel gâchis ! Aujourd'hui, s'il avait éprouvé le besoin de dépenser des sommes folles pour une voiture, il aurait jeté son dévolu sur un modèle semblable à celui-ci. Un véhicule à la fois stylé et plein de charme.

— Il faudrait être difficile pour ne pas aimer une Cadillac pareille ! répliqua Matthew d'un ton de connaisseur. Elle a une sacrée classe !

C'était exactement ce qu'il fallait dire. Granville Frome, qui faisait reluire un coin du pare-chocs du bout de sa manche, leva les yeux vers lui et, pour la première fois depuis son arrivée, il sourit à son tour.

— Et les dames en raffolent, pas vrai, Ward ?

— Si… Nous n'aurions pas besoin de ça pour les attirer, seulement, comme vous pouvez le constater, notre Granville n'est plus de toute première fraîcheur et…

— Tais-toi donc, vieil idiot ! Tu es jaloux, voilà tout ! Nous réglerons nos comptes plus tard… Pour l'instant, je voudrais dire deux mots à M. Quinn.

— Dans ce cas, qu'est-ce que tu attends ? Je t'assure, Frome, tu es d'une lenteur…

— Pour la dernière fois, tais-toi !

Se redressant totalement, Granville Frome fit face à Matthew et le foudroya du regard. L'espace d'un instant, Matthew eut une petite idée de la prestance que son interlocuteur avait dû avoir en son jeune temps. On avait dû le craindre dans tout Firefly Glen.

— Parlez-moi un peu de vous, jeune homme. Je veux savoir d'où vous venez et ce que vous faites ici. Vous vivez avec ma cousine préférée, vous savez ! Et, malgré son éducation, dès qu'il s'agit de juger les gens… Disons qu'elle est trop gentille. Si des termites venaient frapper à sa porte, elle serait capable de leur préparer la chambre d'amis…

— J'ai remarqué, acquiesça Matthew. De toute évidence, elle a le cœur sur la main.

L'expression avait été malheureuse. Granville se renfrogna, apparemment peu séduit par l'idée que Matthew explore de trop près le cœur de sa protégée.

— Eh bien, ce n'est pas mon cas ! dit le vieil homme avec fermeté. Et quand je vois un garçon de votre trempe jouer les hommes à tout faire..., j'ai tendance à être quelque peu soupçonneux, vous voyez ce que je veux dire ? Je n'ai rien contre les ouvriers, seulement..., vous ne me ferez pas croire que vous êtes de la partie !

— Bon sang, Granville ! interrompit Ward Winters. Quel manque de tact !

— Je n'ai pas le temps d'avoir du tact ! Ecoutez-moi bien, monsieur Quinn... Je vais vous dire comment je vois les choses. A mon avis, vous êtes plus habitué à donner des ordres qu'à en recevoir. Et, à vous entendre parler, je serais prêt à parier que vous avez plus d'un diplôme universitaire en poche. Une poche, par ailleurs, plutôt bien garnie, si je ne m'abuse... Il me paraît évident que vous avez eu beaucoup d'argent, à un moment donné. Alors, dites-moi franchement : que s'est-il passé ?

Matthew ne put s'empêcher d'admirer ce bel esprit de déduction. Cela méritait bien une réponse franche. Aussi, prenant son courage à deux mains, il entreprit de raconter son histoire, tout simplement, sans fioritures.

— Pendant huit ans, j'ai dirigé une entreprise de conseil financier avec mon associé, qui a perdu une bonne partie de notre pécule en mauvais investissements... Et s'est enfui avec le reste. Les pouvoirs publics pensent qu'il est en Amérique du Sud, sans pour autant être à même de le prouver... Quand il a disparu, la police s'est intéressée de plus près à nos transactions et j'ai été condamné pour abus de confiance. J'ai passé ces trois dernières années derrière les barreaux... Je suis sorti il y a tout juste un mois.

Granville et Ward restèrent un instant silencieux, sans que Matthew puisse dire, toutefois, s'ils étaient étonnés, indignés ou, tout simplement, captivés par son récit. Les sourcils broussailleux de Granville formaient un accent circonflexe.

— Natalie est au courant ?

— Oui.

— Bon sang ! Combien vos investisseurs ont-ils perdu, dans l'affaire ?

— Cent cinquante millions de dollars, au total.

Matthew n'oublierait jamais la rage, la déception et même la peur ressenties par ses clients bernés. Leurs visages continuaient de le hanter et il savait déjà que ce serait toujours le cas. Malheureusement, ce n'était pas un sentiment dont il pouvait parler. La culpabilité qu'il éprouvait ne renflouerait pas leurs comptes en banque…

— Je vois…

Granville se mordillait la lèvre d'un air pensif.

— Pourquoi ne vous êtes-vous pas enfui en Amérique du Sud, vous aussi ? demanda-t-il soudain.

Il fallut à Matthew quelques secondes pour formuler sa réponse. Il ne voulait pas verser dans le pathos. Il préférait quitter le *Pavillon d'Eté* illico, plutôt que d'en appeler à la pitié de ses interlocuteurs.

— Je n'ai pas jugé bon de le faire, répondit-il sobrement. A l'époque, j'ignorais tout des exactions de mon associé.

— Vous ignoriez qu'il avait grugé vos clients ?

— Totalement.

— Vous faisiez tellement confiance à ce type que vous lui avez laissé la bride sur le cou ? insista Granville, sans le quitter des yeux. C'est un peu idiot de votre part, vous ne trouvez pas ?

— Si !

Un autre silence s'ensuivit, interminable. Enfin, Granville étouffa un petit rire.

— Bon sang, mon gars… Vous êtes presque aussi naïf que Natalie !

— Non, répondit paisiblement Matthew. Plus maintenant.

Ward s'éclaircit bruyamment la gorge.

— Bien. Le problème est réglé, non ? Le gamin a payé sa dette, il nous a raconté son histoire sans faire de manières, Natalie est au courant, alors ceci ne nous concerne plus ! La vie continue. Allons-y, mon vieux ! J'ai un rendez-vous galant, moi !

Agacé, Granville se tourna vers son ami.

— Un rendez-vous galant… Tu parles ! La vérité, c'est que tu as eu un tuyau, chez Théo, ce matin, et que tu meurs d'envie de gagner un petit million de dollars… Comme si tu avais besoin de ça, vieux grigou…

— Et alors ? rétorqua Ward.

Se tournant vers Matthew, il l'examina soudain, d'un air interrogateur.

— Vous qui êtes expert en la matière… Vous connaissez une entreprise appelée Richbern Corporation ?

L'espace d'une seconde, Matthew débattit intérieurement. Il n'était plus dans la partie depuis trois ans. Beaucoup de choses pouvaient s'être produites, entre-temps. Même une entreprise aussi douteuse que la Richbern pouvait s'être amendée…

De plus, il avait juré qu'il n'aurait plus rien à voir, ni de près ni de loin, avec le milieu des finances. Cela valait pour tout le monde, y compris sa famille et ses amis. Et bien qu'il lui répugnât de laisser Ward Winters, qui semblait être un brave homme, boire la tasse avec cette entreprise…

— Non, dit-il d'un ton égal. Je ne les connais pas.

— Je n'en crois rien, mon ami ! s'exclama Ward, un sourire triomphant aux lèvres. Dès la seconde où j'ai prononcé le mot

« Richbern », vous avez changé de tête. A croire que vous veniez de voir un serpent dans l'herbe !

Matthew faillit éclater de rire. Décidément, ces deux vieillards étaient futés. Ils reniflaient la vérité, quel que soit le mal qu'on se donnait pour la leur cacher.

— Pour tout vous avouer, je crois que je suis resté hors du circuit bien trop longtemps pour pouvoir me prononcer. Je suis désolé…

— Sans compter, ajouta Granville, que ses derniers clients ont tous fini sur la paille ! Bien ! Nous en avons terminé. Allons-nous-en !

Les deux hommes montèrent dans la voiture, Granville au volant. Après avoir vérifié, dans le rétroviseur, que sa crinière argentée était bien en place, il tourna la clé de contact. Aussitôt, le moteur se mit à ronfler. C'est avec un rictus de fierté que le vieil homme se tourna vers Matthew.

Et lui tendit la main.

Matthew s'avança vers lui et la lui serra, constatant avec surprise que, malgré ses quatre-vingts ans, Granville avait une poigne étonnamment ferme.

— Vous me semblez quelqu'un de droit, Quinn ! lança le vieillard d'une voix suffisamment forte pour couvrir le bruit du moteur. Pour tout vous avouer, j'aime bien les gars comme vous. Un détail, toutefois : si jamais vous causez le moindre tort à mon adorable cousine, je vous découpe en petits morceaux !

Suzie Strickland était aux anges. Si Natalie avait été là, elle l'aurait embrassée. En l'autorisant à peindre un trompe-l'œil dans la bibliothèque du Pavillon d'Eté, elle lui avait fait le plus beau présent de sa vie !

Elle y œuvrait depuis une semaine. Elle s'était d'abord acquittée de tout le travail préparatoire, quelque peu ardu.

Pour commencer, elle avait choisi une gravure — un lumineux village de Toscane, sur une colline ensoleillée, qui semblait être vu depuis une fenêtre imaginaire. Elle l'avait recopiée, projetée à une échelle plus grande — ce qui était beaucoup plus difficile que ça n'en avait l'air. Puis elle avait préparé le mur, se familiarisant avec sa rugosité, avant de le recouvrir d'une épaisse couche de base, de reporter son image à la craie. Et, enfin, la veille, elle s'était attaquée à la partie purement artistique de son œuvre.

Elle peignait depuis le lever du jour. Il était presque 18 heures, à présent. Elle était fatiguée, tous ses muscles lui faisaient mal et elle était en retard pour dîner.

Tout cela à cause des nuages, qui lui avaient donné bien du mal. C'était simple : elle ne parvenait pas à trouver la bonne couleur.

L'opération avait été plutôt salissante et Suzie était maculée de taches de la tête aux pieds : bleues, blanches, terre de Sienne brûlée et orange cadmium.

Toutefois, cela n'avait plus aucune importance. Au bout de deux heures, elle avait enfin réussi à trouver la tonalité idéale pour ces satanés nuages, et cela grâce à une touche de vert. Après s'être acharnée sur le bleu et le gris, elle avait contourné astucieusement la difficulté et il lui apparaissait à présent évident que le vert des flancs de la colline ne pouvait que se refléter dans les cumulo-nimbus !

Satisfaite, elle passa un petit chiffon humide sur le dernier nuage pour en estomper les limites.

Il fallait absolument qu'elle embrasse quelqu'un : elle était tellement heureuse ! Elle jeta un coup d'œil par la fenêtre. Ce nouvel homme de main était vraiment sexy. Si jamais il s'aventurait dans les parages, il aurait un baiser !

Suzie gloussa en imaginant le choc qu'elle lui causerait. Natalie n'apprécierait probablement pas, elle non plus. Mais bon sang, elle était tellement contente et il était si agréable à regarder !

Comme il lui restait un peu de peinture sur sa palette, elle entreprit de peaufiner certains des arbres, en chantonnant. La seule chanson italienne qu'elle connaissait était *O Sole Mio*. Et quand certaines paroles lui échappaient, elle comblait les manques par de joyeux *la, la, la*. Puisqu'elle se trouvait dans une villa romaine, et peignait un paysage italien, elle se devait de chanter un air italien, non ?

S'accordant, pour une fois, un rare moment de pur bonheur, Matthew, debout dans le patio, regardait Natalie s'échiner sur le bassin de la piscine.

De toute évidence, et bien qu'il sache pour l'avoir fait avant elle qu'il était très ardu, ce travail plaisait à la jeune femme. C'était, d'ailleurs, l'une de ses spécialités que d'avoir l'air de s'amuser en trimant.

Matthew venait de passer l'une des semaines les plus agréables de sa vie, malgré tout le travail qu'il avait abattu. Car même en prison, il ne se souvenait pas en avoir fait autant.

Aujourd'hui, Natalie se trouvait à l'endroit le plus profond du bassin. Assise en tailleur près du siphon, elle retirait au burin les carreaux de mosaïque abîmés. Les éclats volaient dans tous les sens dans un vacarme épouvantable. Les coups se répercutant sur les parois, on aurait dit qu'une armée entière manipulait le maillet.

Sans compter que le soleil tapait dur, sur ce bassin vide.

Elle devait être épuisée.

Matthew s'approcha du bord et, d'une voix forte pour couvrir le vacarme, demanda :

— Vous ne voulez pas que je prenne la relève ?

Elle leva les yeux vers lui, passa une main sur son visage pour en retirer la poussière, et le considéra d'un air amusé.

— Je croyais que vous vouliez terminer l'escalier ! Vous ne m'avez pas dit que c'était le plus important ?

— J'ai fini... Ce n'était pas aussi grave que je le pensais. Il m'a suffi de changer quelques planches, de planter quelques clous... Aussi, je peux vous remplacer, maintenant.

— Oh ! Si vous insistez...

Elle se leva avec entrain, épousseta l'arrière de son Bikini à petits pois.

— Une petite pause ne me fera pas de mal... J'ai tapé tellement fort que j'ai dû me déboîter l'épaule.

Matthew descendit prestement les trois marches et traversa le bassin.

— Merci, dit-elle en lui tendant le marteau. En fait, c'est plutôt marrant de tout casser, même si ça paraît puéril. Ça défoule !

Se défouler...

Il en avait bien besoin, lui aussi. Quand on passait dix-huit heures par jour aux côtés d'une femme splendide, dont la garde robe semblait consister exclusivement en shorts minimalistes, T-shirt ridiculement courts et en Bikini, et qu'on s'interdisait toute pensée concupiscente, il y avait de quoi être quelque peu frustré.

Peut-être même cela pouvait-il vous rendre fou...

Pourtant, Natalie ne l'aguichait pas. Il connaissait toutes les ficelles : les regards en coin sous des paupières lourdes, les décolletés généreux, exposés « par accident », l'espace d'une seconde, les jambes qu'on croise et décroise lentement... Certaines femmes avaient le chic pour donner au moindre de leurs gestes une sensualité sans équivoque...

Natalie, pour sa part, ne semblait pas connaître ces ruses vieilles comme le monde — à moins qu'elle ne les appréciât pas. A moins, songea-t-il encore en la regardant, qu'elle eût conscience de ne pas avoir besoin d'y recourir ?

Elle ne se maquillait pratiquement jamais, sauf si on comptait le triangle de pommade qu'elle s'appliquait quotidiennement sur le bout du nez. Ses joues étaient naturellement hâlées et aussi veloutées qu'une peau de pêche. Même si, aujourd'hui, elle courait le risque de prendre un sérieux coup de soleil... Elle avait négligemment attaché ses cheveux au sommet de son crâne, et ses boucles folles retombaient en cascade. Même son Bikini et son short ne semblaient choisis que pour leur côté pratique.

Pourtant, elle lui faisait un effet terrible. Et il savait que s'il s'autorisait à la regarder franchement pendant plus de dix secondes, il était fichu.

— Vous devriez rentrer et prendre une douche qui vous rafraîchisse, dit-il en s'emparant du marteau. Je m'occupe de la piscine.

— Sûrement pas ! Ce serait trop fatiguant, répondit-elle en bâillant. Ce soleil m'a donné envie de dormir... Je crois que je vais m'allonger sur la chaise longue et vous regarder casser ces cailloux. Hé ! s'exclama-t-elle, les sourcils levés. Vous faisiez vraiment ça ? En prison, je veux dire... On vous a fait casser des cailloux ?

Matthew secoua la tête en souriant. Il commençait à s'habituer à ses allusions à la prison. Elle avait l'air de trouver le sujet intéressant, presque exotique, un peu comme s'il était parti y faire de la recherche, pour écrire un roman. Du coup, il ne se sentait pas blessé lorsqu'elle abordait le sujet.

— Non... On nous faisait construire des maisons pour les sans-abri.

— C'est super, ça ! Et puis, ça vous a préparé à ce qui vous attendait ici… Encore qu'il doit être plus facile de construire une maison à partir de rien, que d'essayer de réparer ce vieux mausolée, commenta-t-elle en fronçant le nez.

— Beaucoup plus, en effet. Mais moins intéressant.

Le visage de la jeune femme s'éclaira.

— C'est vrai… Je parie que vous n'étiez encore jamais tombé sur une pièce secrète.

La veille, en réparant un interrupteur, Matthew s'était appuyé sur un mur lambrissé. Soudain, un sas s'était ouvert, donnant sur un minuscule cabinet, totalement vide. Natalie avait été ravie, bien qu'un peu déçue qu'il ne renferme pas de trésor…

— Jamais, non.

— Ni sur une fresque splendide.

— Non plus.

Deux jours auparavant, en nettoyant l'horrible tableau mural représentant un troupeau de bétail affolé, qui recouvrait le mur de la salle à manger, Natalie s'était soudain rendu compte que, sous la tête d'une des vaches, on apercevait le visage délicat d'une femme.

L'expert qu'elle avait aussitôt fait venir s'était montré fort intéressé par sa trouvaille.

— Et encore moins sur un vase chinois, qui pourrait valoir une dizaine de milliers de dollars ? reprit-elle.

— Hé ! Ne vous emballez pas si vite !

Il fouillait dans la cabane à outils, le mercredi précédent, lorsque, au beau milieu des pots de fleurs en terre cuite et des tuyaux d'arrosage enchevêtrés, il avait repéré un vase oriental, haut de près d'un mètre, et qui rappelait ceux de la dynastie Ming.

Natalie s'était aussitôt mise à danser de joie — avant de faire parvenir l'objet à son antiquaire attitré, par l'intermédiaire de Stuart. Ils attendaient l'expertise.

— C'est ma spécialité, répondit-elle en riant. Je n'y peux rien, c'est dans mes gènes. Les Granville ont toujours été d'incurables optimistes !

Elle passa l'heure suivante à somnoler, étendue sur une chaise longue, à l'autre bout du bassin. Le vacarme qu'il faisait en tapant sur la mosaïque ne semblait pas la déranger le moins du monde.

De temps en temps, Matthew levait les yeux et la trouvait paisiblement allongée. Ses boucles blondes scintillaient, sous la lumière du jour. Elle était étendue sur le dos, un de ses bras graciles replié sur le visage, afin de le protéger des rayons du soleil, l'autre sur son ventre dénudé et doré comme les blés.

Prenant soin de ne pas dépasser les dix secondes fatidiques, il reprenait son travail, se débarrassant comme il pouvait de la tension qui l'habitait.

A un moment donné, cependant, il eut la surprise de constater qu'elle s'était redressée et conduisait une conversation animée avec un homme dont il ne distinguait que le dos. Matthew cligna des yeux, se demandant de qui il s'agissait.

C'était Stuart.

Natalie lui faisait face en riant joyeusement à ses propos. Le jeune homme entreprit de lui appliquer de l'écran solaire sur les épaules. Au bout d'un moment, elle pivota sur sa chaise longue, lui présentant son dos, et Stuart l'enduit de crème, là aussi.

Matthew sentit alors une bouffée de colère le submerger.

Une colère immédiate, viscérale, tellement manifeste qu'il ne put faire comme s'il n'en reconnaissait pas la source : jaloux, il était jaloux. Il n'y avait pas à s'y méprendre.

Bon sang ! Il était encore plus stupide qu'il ne l'avait cru lui-même.

Toute la semaine, il n'avait cessé de museler ses émotions, se répétant que ce n'était qu'un emploi comme un autre, que Natalie était sa patronne et rien d'autre, s'interdisant de la désirer, de rien éprouver et surtout de la toucher, refusant de considérer leur association comme un partenariat, de s'enfoncer dans une routine par trop confortable.

Et il pensait sincèrement y être parvenu.

Hélas, il lui apparaissait à présent que, s'il avait réussi à se dominer, son subconscient, complètement débridé, avait battu la campagne, générant en lui toutes sortes d'idées, plus concupiscentes les unes que les autres.

Et oui… Son subconscient s'était laissé allé à rêver tout éveillé que ces sourires, cet appétit farouche pour la vie n'existaient que pour lui.

C'était presque risible.

Quel idiot il faisait !

Il ne lui restait plus qu'à s'efforcer encore davantage de ne pas s'attacher. Sans quoi, il plierait bagage et quitterait définitivement le *Pavillon d'Eté*.

S'obligeant à se concentrer sur la piscine, il cogna sur la mosaïque avec une force telle que l'assemblage explosa tel un geyser, le recouvrant, de la tête aux pieds, d'un nuage de poussière grise.

Et, bien que son bras le brûlât de tant d'efforts, il continua.

C'était son travail. Il était payé pour ça.

Quelques minutes plus tard, il sentit des doigts frais se poser sur son épaule. Il sursauta et, levant la tête, vit Natalie, debout devant lui, les épaules luisant de crème solaire.

— Devinez ? lança-t-elle en souriant. Vous en avez terminé pour la journée.

— Ah bon ? demanda-t-il, souriant à son tour, bien malgré lui.

— J'ai quelque chose à vous montrer ! expliqua-t-elle en tapotant la ceinture de son short.

Il baissa les yeux. Un petit morceau de papier bleu émergeait du bas de son Bikini, lui chatouillant la hanche.

— Qu'est-ce que c'est ?

Brandissant le document d'un geste théâtral, elle le déplia et l'agita devant son nez.

— C'est un chèque pour ce vase Ming, monsieur l'incrédule. Un chèque de dix mille merveilleux dollars ! Aussi, ajouta-t-elle en lui retirant le marteau des mains, je voudrais que vous m'accompagniez à l'intérieur et que vous m'aidiez à placer cette somme. Je veux la doubler... Encore et encore. Je veux arriver à quarante... A quatre-vingts mille... A un million, qui sait ?

Son exaltation était évidente... Et contagieuse. Il allait avoir du mal à résister.

Hélas, il le fallait.

— Je ne peux pas, Natalie, déclara-t-il posément. Vous savez bien que c'est impossible.

Elle continuait d'agiter le chèque, sans désarmer.

— Ne dites donc pas de bêtises ! Ça va être marrant ! Et puis, c'est vous qui avez trouvé ce vase ! C'est un peu votre argent, après tout !

— Non ! Certainement pas !

Elle se renfrogna légèrement, sans pour autant prendre son refus au sérieux.

— Ne soyez pas comme ça, Matthew ! Je ne vous demande rien d'officiel ! Vous n'avez pas besoin d'autorisation pour cela ! On ne peut tout de même pas vous empêcher de donner quelques conseils à une amie...

— Je ne peux pas, Natalie. Voyez un professionnel.

— Vous êtes un professionnel.

— Plus maintenant.

— Matthew…

Pour la première fois, elle eut l'air de douter.

— Je ne voulais pas vous forcer la main… Honnêtement, je pensais que ce serait amusant…

Elle s'interrompit, hésita un instant.

— Peut-être trouvez-vous que je profite de la situation, ajouta-t-elle. Vous pensez que j'essaie de vous soutirer des conseils gratuitement ?

— Bien sûr que non… Seulement, pour être un conseiller financier digne de ce nom, il faut se tenir au courant de la vie des entreprises, du cours de la Bourse… Il faut aussi étudier les publications financières et les déclarations de bénéfices de chaque société. Et il faut connaître les chefs d'entreprise, comprendre le marché et rencontrer des centaines de personnes. Je n'en ai ni le temps ni les moyens, Natalie. Prenez conseil auprès d'un expert.

— D'après Granville, pourtant, vous êtes suffisamment doué pour vous dispenser de tout cela ! répliqua-t-elle avec un petit sourire. Il m'a affirmé que vous étiez le genre de type à savoir d'instinct si une entreprise est fiable ou non.

Surpris, Matthew haussa les sourcils. Si tout ce qu'il venait de dire à Natalie était l'exacte vérité, il était également vrai qu'il avait souvent travaillé à l'intuition. Et il s'était rarement trompé… Du moins en ce qui concernait le monde des finances.

— Et comment sait-il tout cela, le cousin Granville ?

— Il semblerait que Ward et lui aient voulu investir dans la Richbern. Ward affirme que la grimace que vous avez faite, quand il a parlé de cette entreprise, l'a incité à renoncer. Granville, qui est l'homme le plus borné de la planète, n'a pas voulu l'écouter. Il a investi une cinquantaine de milliers de dollars, comme prévu, et d'après ce que j'ai compris, les bénéfices de la Richbern sont en baisse. Ils ont dû renvoyer le PPG, ou quelque chose comme ça, et leurs actions sont en chute libre. Granville est furieux contre lui-même.

— P.-D.G., corrigea Matthew, sans réfléchir.

Ainsi, la Richbern s'était enfin débarrassée de cet escroc ? Ça n'était pas trop tôt ! Ce type était corrompu depuis des années et l'entreprise ne s'en porterait que mieux. Et si Granville pouvait se permettre d'attendre quelque temps, il finirait peut-être par rentabiliser sa mise, au bout du compte.

— Appelez-le comme vous voulez... Bref. Vous voyez bien que vous n'avez pas besoin de lire le *Wall Street Journal*... Vous sentez les choses, tout simplement !

Il aurait tant voulu pouvoir accepter. C'eût été merveilleux d'aider la jeune femme à gagner un peu d'argent. Elle portait un tel fardeau...

Malheureusement, il ne pouvait exclure l'éventualité que son intuition lui fasse faux bond. Or, il ne voulait pas risquer d'aggraver la situation. Que se passerait-il, s'il lui faisait perdre ces dix mille dollars en lui donnant le mauvais conseil ?

— Je suis désolé, Natalie, dit-il doucement. C'est non. Je ne peux pas.

Elle le dévisagea pendant un long moment, sans rien dire, et il se prépara à affronter sa déception, voire son ressentiment. Après tout, elle avait pris des risques, en l'embauchant. Peut-être avait-elle la sensation qu'il lui était redevable...

Pourtant, et comme à son habitude, elle le surprit par sa réaction.

— Oh... Dans ce cas, tant pis ! N'y pensons plus, dit-elle d'un ton léger.

Elle glissa de nouveau le chèque dans la ceinture de son short et, débarrassant le pouce de Matthew d'un éclat de mosaïque, lui prit la main pour l'entraîner à l'autre bout du bassin.

— Ça ne change rien. Assez travaillé pour aujourd'hui ! Allons prendre une douche et… soyons fous !

— Sous la douche ? s'esclaffa-t-il, malgré lui.

Elle secoua la tête, sans lui lâcher la main.

— Bien sûr que non ! J'ai dit « Soyons fous ! ». Vous me prenez pour une jeune femme naïve et légèrement ennuyeuse… Mais vous ne me connaissez pas : quand j'ai trop d'argent dans les poches, on ne me tient plus !

7.

Perplexe, Matthew considérait la jeune femme.

— Une moto ? C'est ça, votre super idée ? Vous voulez aller faire un tour à moto ?

Natalie poussa la porte du garage pour l'ouvrir totalement. Le soleil se réfléchit sur les chromes immaculés, laissant apparaître un modèle fort luxueux et énorme.

Il avait appartenu à son grand-père, qui l'avait amoureusement entretenu, toute sa vie. Même lorsque son état de santé ne lui permettait plus de le conduire, il continuait de le sortir du garage chaque samedi et le faisait tourner pendant un peu plus d'une heure, rien que pour le plaisir d'entendre son moteur ronronner.

— C'était le jouet préféré de Grand-Pap... Chaque week-end, il allait faire un grand tour dans la montagne, et cela presque jusqu'à son quatre-vingt-dixième anniversaire. Malheureusement, il n'a jamais voulu me la laisser conduire. Il prétendait que ce n'était pas pour les filles.

— C'est donc ça, votre idée..., répéta Matthew, qui ne s'était pas remis de sa surprise.

La jeune femme fut légèrement agacée par sa déception. Que voulait-il de plus ?

— Vous savez conduire une moto, oui ou non ? demanda-t-elle.

Il lui sembla que le jeune homme réprimait un petit rire.

— Je devrais pouvoir y arriver… Pourquoi ? Pas vous ?

— Pas vraiment, reconnut-elle. J'ai essayé, une ou deux fois, après avoir changé la batterie et nettoyé les bougies, sans grand succès. Je n'arrête pas de tomber… Pourtant, je meurs d'envie de grimper sur cet engin. Ça me taraude depuis l'âge de quinze ans. Ça a l'air tellement amusant !

Rien que d'y penser, elle sentait son cœur s'emballer.

— C'est un fantasme, voyez-vous… J'ai vraiment envie de parcourir le flanc de cette montagne à une vitesse folle.

En réalité, il s'agissait d'un fantasme en deux actes. Natalie rêvait de faire l'amour sur une moto. Elle avait lu cela dans un livre, un jour, et cela lui avait paru terriblement excitant.

Toutes ces vibrations, le danger…

Toutefois, elle garda cela pour elle : elle ne voulait pas risquer d'effaroucher Matthew.

Ce dernier riait franchement, à présent.

— *Soyons fous, soyons fous…* A vous entendre, tout à l'heure, je me suis demandé à quoi je devais m'attendre… Et jamais je n'aurais pensé…

— Je suis désolée de ne rien avoir de plus original à vous proposer ! rétorqua-t-elle en relevant le menton, d'un air de défi. Tout le monde n'a pas la chance d'avoir été enfermé avec des tueurs en série, voyez-vous ! Ça nuit à la créativité !

Le jeune homme s'esclaffa de nouveau, et Natalie en fut ravie. Dieu merci, il s'était départi de cette raideur qui s'emparait de lui, lorsqu'elle évoquait son incarcération.

Peut-être, la blessure commençant à guérir, n'était-ce plus un sujet aussi sensible.

— Je ne voudrais pas vous ôter vos illusions, Natalie. Cependant, les tueurs en série sont les gens les moins imaginatifs que je connaisse.

— Si vous le dites… Allons-y, Matthew ! Dépêchons-nous. Nous avons travaillé dur, toute la semaine. J'ai vraiment l'impression de ne faire que trimer, en ce bas monde. Quand je ne suis pas dans la pépinière, je passe mon temps à réparer la maison. Nous avons bien mérité un peu de bon temps !

Matthew examina la moto, d'un air dubitatif.

— Je ferais mieux de m'attaquer à la toiture. Vous ne pouvez pas demander à quelqu'un d'autre de vous emmener faire un tour ? Je ne sais pas, moi ! Stuart ? Bart ?

— C'est vous que je veux ! déclara-t-elle, en croisant les bras. Ecoutez… Vous avez refusé de m'aider à investir ma petite fortune et je n'en ai pas fait un drame… Vous pouvez bien faire ça pour moi, non ?

— Ce n'est pas que ça me déplairait, Natalie, seulement…

Elle tapa du pied.

— Grrr… Vous voulez que je fasse un caprice ?

— Je croyais que c'était déjà le cas, répliqua-t-il en souriant.

Elle secoua la tête d'un air menaçant.

— Vous n'avez encore rien vu.

En soupirant, il tendit la main pour qu'elle lui donne la clé de contact.

— Bon… Si vous y tenez… Allons-y !

Dès l'instant où il mit le moteur en marche, Natalie sut que leur escapade dépasserait toutes ses espérances.

Le siège était confortable et, lorsqu'il se mit à vibrer avec sensualité entre ses jambes, elle se sentit parcourue par une montée d'adrénaline, qui lui coupa quasiment le souffle.

Elle passa ses bras autour de la taille de Matthew, réalisant ainsi un autre de ses fantasmes : elle en mourait d'envie, depuis le début de la semaine. Il avait un corps exceptionnellement musclé, aux proportions parfaites. Son ventre était plat et dur et elle sentait la belle structure de ses hanches, à travers son jean.

Elle se serra hardiment contre lui. Intrigué, il pencha légèrement la tête.

— Il ne s'agit pas que je tombe, expliqua-t-elle, d'un air innocent.

Pour toute réponse, il laissa échapper un petit rire.

Néanmoins, lorsque, après avoir resserré les genoux contre ses cuisses à lui, elle laissa glisser ses mains vers sa ceinture, elle le sentit prendre une longue inspiration. C'était peut-être un effet de son imagination, cependant, car presque aussitôt, ils se mirent en route.

Ils parcoururent Vanity Gap à une lenteur déconcertante, puis atteignirent enfin les routes désertes de montagne. Alors Matthew accéléra, et la moto s'envola.

Natalie riait aux éclats. Le vent lui ébouriffait les cheveux, menaçant de lui arracher son casque. Il emportait aussi son rire, le projetant, tel un foulard bariolé, dans l'air, derrière eux.

C'était merveilleux et terriblement enivrant.

Elle vivait l'expérience la plus excitante qu'elle ait connue — en dehors d'une chambre à coucher. Leurs corps étaient unis l'un à l'autre sur la puissante machine et ils se penchaient de concert, dans les virages, s'inclinant dans les pentes. Ils plongeaient ensemble comme un seul être, le cœur fou, dans les descentes, tandis que la moto tombait interminablement, avant de se remettre à niveau.

Natalie aurait pu continuer ainsi pendant des heures. Le soleil était doux, en cette fin d'après-midi, et l'atmosphère embaumait du parfum des pivoines et des roses, montant de jardins invisibles, cachés derrière un rideau d'arbres feuillus.

A quelques kilomètres de la ville, en bordure d'une ferme, ils aperçurent un stand, sur le bord de la route.

Aussitôt, Natalie fut dévorée par l'envie irrésistible de croquer dans un morceau de pastèque bien juteux. Elle fit signe à Matthew, qui s'arrêta immédiatement.

Il n'y avait personne derrière l'étal, qui consistait en un long tréteau de bois recouvert de produits frais et de quelques bouquets de fleurs sauvages. Une caisse posée à même le sol contenait une dizaine de pastèques, énormes et fort appétissantes.

Une vieille cassette toute rouillée était posée sur le bord de la table. Juste à côté, un petit écriteau rédigé à la main enjoignait les chalands à se servir, après avoir déposé leur argent dans la boîte.

Natalie sentit l'eau lui monter à la bouche. Elle descendit de la moto, retira son casque et le laissa tomber à ses pieds. Fouillant dans sa poche, elle y dénicha un billet de cinq dollars, qu'elle glissa dans la cassette. Puis elle choisit la pastèque la plus grosse et la plus mûre, et la souleva péniblement.

— Je suppose que vous n'avez pas de couteau..., lança-t-elle, au cas où.

Il avait retiré son casque, lui aussi, et elle vit que ses yeux brillaient, sous ses cheveux ébouriffés. Il avait probablement éprouvé la même excitation qu'elle.

— Non, désolé. On a oublié de me le faire parvenir, en même temps que le manuel du parfait Hell's Angel.

— Zut ! s'exclama-t-elle en dévorant le fruit du regard. Je meurs de faim, moi !

C'était vrai. Pourtant, elle leur avait préparé un déjeuner copieux, avant de partir. C'était sûrement dû à cette course folle.

Descendant de la moto à son tour, il lui prit le melon géant des mains.

— Je ne vois pas où est le problème ! dit-il en se dirigeant vers un affleurement de granite.

Et, avant qu'elle n'ait eu le temps de protester, il cogna le fruit sur la pierre, de toutes ses forces.

La pastèque fit un bruit déplaisant et se brisa en une demi-douzaine de gros morceaux rouge vif.

— Le dîner est servi, Votre Altesse ! dit-il en souriant.

Ils s'assirent tous deux contre la pierre, et restèrent là un bon moment, jusqu'à ce que leurs mains et leurs visages soient tout barbouillés de jus.

Natalie avait l'impression de ne jamais avoir rien mangé d'aussi bon et elle rogna le fruit jusqu'à ce que la peau vert pâle apparaisse.

— Vous parlez souvent de votre grand-père, Natalie. En revanche, vous n'évoquez jamais votre père. Quel genre d'homme était-ce ?

— Je ne me souviens pas très bien de lui, dit-elle en détournant le regard. Ma mère et lui sont morts à l'étranger, quand je n'avais encore que huit ans. J'ai très peu de souvenirs. Je sais que j'ai été beaucoup aimée… Et, bien sûr, je sais que, en digne descendant des Granville, mon père a voulu apporter sa touche personnelle au *Pavillon d'Eté*, en essayant de construire un petit planétarium sur le toit.

— Il n'a pas réussi ?

— Il a utilisé les matériaux les moins chers, et ça n'a pas tenu. De plus, le poids de la pièce ajouté à celui du télescope, qui était énorme, a failli faire crouler le toit. Il a fallu tout démonter. Il en reste quelques vestiges, dans le garage.

Matthew s'esclaffa, et elle fut touchée de constater que son rire n'avait rien de méprisant. Contrairement aux autres hommes de son entourage, il semblait trouver relativement charmant le grain de folie des Granville.

Ils discutèrent pendant longtemps, de choses et d'autres, s'interrompant parfois pour observer un silence confortable.

Le ciel finit par être aussi rougeâtre que la pastèque. Matthew l'observa un instant, comme pour deviner combien de temps il leur restait, avant la tombée de la nuit.

— On rentre ?

Elle secoua énergiquement la tête.

— Non. Je peux très bien vivre de pastèques, moi... Qu'en pensez-vous ? Je ne veux plus jamais rentrer à la maison.

Matthew déposa un dernier pépin sur la petite pile qu'ils avaient constituée, à leurs pieds. Il hésita un moment, puis se décida à parler.

— Vous allez peut-être dire que ça ne me regarde pas, cependant je ne comprends pas pourquoi vous restez ici. C'est la deuxième fois, cette semaine, que vous déclarez que vous ne voulez pas rentrer... Il me paraît évident que cette maison, avec son lot de soucis et de dépenses, vous pèse terriblement. Ce qui n'a rien d'étonnant, d'ailleurs... D'autres auraient craqué depuis bien longtemps... Alors pourquoi ne la vendez-vous pas ? Vous seriez libre d'aller vivre où vous le voulez !

Elle le considéra un long moment, se demandant comment lui expliquer ses motivations. Parfois, elle n'était pas certaine de les comprendre elle-même.

— Le *Pavillon d'Eté* ne me pèse pas, déclara-t-elle. Au contraire, je l'adore. C'est mon héritage, voyez-vous... D'une certaine façon, c'est toute ma vie. Je ne désire rien tant que le remettre en état, lui redonner son prestige originel. Peut-être qu'un jour je finirai quand même par demander à ce qu'il soit classé monument historique !

— Je croyais que votre grand-père était totalement opposé à cette idée !

— Il l'était, soupira-t-elle. Et il m'en coûterait de le trahir ainsi. Paradoxalement, quand je traverse la galerie de tableaux, j'ai l'impression que tous mes ancêtres me font les gros yeux. Je ne m'en sors pas et le sentiment d'échec est terrible…

De nouveau, elle soupira et tourna la tête en direction de la route qui la ramènerait chez elle.

Ce n'était pas l'entière vérité.

Le pire était le côté sombre et vide de toutes ces immenses pièces, la nuit venue. Et, au petit matin, l'idée d'avoir à affronter la journée, à mener cette bataille perdue d'avance, sans personne pour l'épauler.

— Et puis…

Elle s'interrompit. Elle ne pouvait pas lui dire cela, sans paraître s'apitoyer sur son sort, ce qui ne manquerait pas d'embarrasser Matthew.

— Et quoi ?

— Rien. Simplement…

Mue par une impulsion soudaine, elle se tourna vers lui, sans se soucier de ce que ses lèvres soient probablement sanguinolentes et poisseuses.

— Je voudrais simplement vous remercier pour ce petit tour à moto, cet après-midi. C'était merveilleux !

— Tout le plaisir a été pour moi, dit-il en passant doucement un pouce sur le coin de sa bouche, pour en retirer un petit reste de pastèque.

— Je sais, reprit-il. Je vais vous apprendre à conduire cet engin. Comme ça, vous pourrez vous promener autant que vous le voudrez. Et quand je serai parti…

— Ne parlez pas de cela, coupa-t-elle.

Se penchant vers lui, elle lui agrippa le bras, comme pour le faire taire.

— Ne parlez pas de votre départ… Pas aujourd'hui.

— Il faudra bien que je m'en aille, dit-il d'un ton grave. Vous le savez ! A la fin de l'été, je devrai…

— Je vous en prie.

Sans réfléchir, elle se rapprocha de lui.

— Je sais que vous devrez partir un jour, murmura-t-elle. Seulement, je ne veux pas y penser aujourd'hui…

Sur ces mots, elle l'embrassa.

Ses lèvres avaient une saveur sucrée, comme la pastèque et le soleil. Elles étaient dures et chaudes, et pourtant elles ne répondaient pas.

La jeune femme pensa qu'il allait la laisser faire tout le travail. Sans se décourager, elle s'acharna, le titillant doucement du bout de la langue, effleurant ses joues des deux mains. Puis elle se laissa doucement aller contre lui.

Au moment où ses seins l'effleurèrent, Matthew laissa échapper un grognement sourd ; cette fois, il ne résista pas et embrassa Natalie. Il explora sa bouche avec une telle adresse qu'elle sentit la tête lui tourner. Passant une main dans ses cheveux, elle s'émerveilla de ce qu'il ait été prêt pour ce baiser, lui aussi.

Leur étreinte lui parut interminable. Malgré tout, très lentement, il finit par se dégager.

Ses yeux sombres étaient rivés sur elle, la considérant avec une douceur infinie, et elle crut y lire à la fois un désir intense et une nuance de remords.

— Natalie…

Elle ne le laissa pas achever. Elle se leva, le dévisagea avec aménité et lui tendit la main pour l'aider à se relever à son tour.

— Allez… Je suis prête à rentrer à la maison, à présent.

— Natalie…, reprit-il, l'air toujours confus. Je ne voulais pas…

D'un air menaçant, elle brandit le doigt.

— Si jamais vous vous excusez, il vous en cuira, jeune homme ! Je sais qu'il ne s'agissait que d'un moment de folie passagère, mais c'était fort agréable… Et je n'ai pas l'intention de vous laisser me gâcher mon plaisir !

Deux jours plus tard, et pour la première fois depuis son installation au *Pavillon d'Eté*, Matthew descendit en ville pour y acheter du matériel.

La *Grande Quincaillerie des Montagnes*, qui avait pignon sur la rue principale, portait bien son nom. C'était le plus grand magasin de détail de tout Firefly Glen et, comme Natalie le lui avait dit, la population mâle de la ville avait coutume de s'y retrouver.

Ces messieurs y échangeaient quelques nouvelles, convaincus qu'au milieu de toutes ces scies électriques et autres perceuses, personne n'oserait jamais qualifier leurs conversations de commérages.

Matthew était à la recherche d'une solide barre de fer ou d'un pied-de-biche pour arracher les tuiles du toit. Il avait également commandé deux rouleaux d'isolant et avait l'intention de profiter qu'il était là pour voir où les choses en étaient.

Le gérant était occupé : agglutinés autour du comptoir principal, un petit groupe de chalands admirait la meuleuse surpuissante que l'un des clients venait d'acquérir.

Aussi Matthew décida-t-il de se rendre au rayon visserie. Il avait besoin d'un nouvel assortiment de clous. Jamais encore une maison n'avait autant englouti de clous que le *Pavillon d'Eté*.

C'était phénoménal.

— Tu plaisantes ! s'écria un homme, près du comptoir. Tu ne vas tout de même pas me dire que si tu te fais poser une nouvelle moquette, c'est parce que Fred a décidé de ne pas faire construire sa nouvelle piscine, suite à la défection de Tim, qui n'a pas pu terminer le jardin, parce qu'il a perdu son boulot au *Pavillon d'Eté* ! Ce n'est pas possible, mon vieux ! Ça me fait penser à un jeu de dominos en train de s'écrouler !

— Que veux-tu ? C'est ça, les petites villes ! s'esclaffa un deuxième client. Il a suffi que Natalie Granville éconduise son fiancé pour que tout s'arrête à Firefly Glen !

Les doigts crispés sur la pochette de clous dont il venait de s'emparer, Matthew tendit l'oreille. D'ordinaire, il détestait écouter aux portes, pourtant, aujourd'hui…

Depuis le départ, il se doutait que c'était Natalie qui avait annulé le mariage. Ce samedi d'ivresse mis à part, elle n'avait pas l'attitude d'une fiancée abandonnée à quelques jours de la noce. Toutefois, elle ne lui avait donné aucun détail sur l'incident et il ne voulait pas lui poser la question.

— Tu penses ! intervint un troisième larron. A mon avis, celui qui a pensé un seul instant que ces deux-là se marieraient vraiment manquait singulièrement de jugeote. Deux amis d'enfance, comme eux, ne tombent pas raides amoureux, comme ça, du jour au lendemain !

— L'amour n'avait rien à faire là-dedans, croyez-moi ! Bart se remettait tout juste de son chagrin d'amour et Natalie avait besoin d'argent pour réparer le manoir du vieux Granville. Si cette relation n'était pas un arrangement, je me demande ce…

— Moi, j'étais convaincu qu'elle l'épouserait ! déclara une voix plus jeune. Elle adore cette baraque. Elle ferait n'importe quoi pour pouvoir la garder.

— Elle se dégotera un autre millionnaire, ne vous en faites donc pas pour elle, reprit le premier homme, d'un ton péremptoire. La plupart des Glennois de moins de quarante ans sont amoureux d'elle… Sans compter certains vieux barbons, qui n'échappent pas à la règle !

La petite assemblée partit d'un rire joyeux.

— Peut-être ! ricana le plus jeune. Seulement, à présent, il leur faudra compter avec le nouvel homme à tout faire. D'après ce que j'ai entendu dire, il est plutôt habile de ses mains, si vous voyez ce que je veux…

C'en était trop. Contournant le mur, Matthew se montra.

— Bonjour, dit-il d'un ton égal. Désolé de vous interrompre… Je ne trouve pas les barres de fer. Vous pouvez me dire où elles sont ?

Toutes les têtes se tournèrent vers lui, le dévisageant d'un air piteux. Les commérages ne se limitaient probablement pas à de simples paroles car, de toute évidence, tous surent immédiatement à qui ils avaient affaire.

— Je… Je crois bien que je suis en rupture de stock, balbutia le gérant, s'efforçant d'adopter un ton neutre. Vous ne voulez pas un pied-de-biche, à la place ? Je suis quasiment certain qu'il m'en reste un ou deux !

Le carillon retentit et un nouveau client pénétra dans la boutique. Les visages se tournèrent vers le nouvel arrivant, qui tombait juste à point pour les tirer de cette situation embarrassante.

— Parker ! s'exclamèrent-ils d'une seule voix.

Le nouveau venu les considéra avec surprise. Levant un sourcil interrogateur, il porta sa main à son cœur.

— Messieurs, bonjour ! lança-t-il avec superbe. Quel accueil ! Vous m'en voyez touché !

Le gérant fut le premier à récupérer.

— C'est que nous sommes impatients d'avoir des nouvelles de Sarah ! Comment va-t-elle ? Que dit la sage-femme ? Le bébé va-t-il bientôt faire son apparition ?

— Sarah se porte comme un charme. D'après Heather, elle en a encore pour une semaine… Dix jours tout au plus.

Parker se tourna ensuite vers Matthew et lui tendit amicalement la main.

— Bonjour ! Vous vous souvenez de moi ? Parker Tremaine. Nous nous sommes rencontrés, devant le bureau du shérif, le jour de votre arrivée en ville. J'étais sur le point d'aller coucher un de mes clients…

— Bien sûr que je me souviens !

Il ne mentait pas. Il remettait parfaitement l'avocat, qui était également un des amis de Harry, le shérif.

— Ravi de vous revoir ! ajouta-t-il, en lui serrant la main.

— Alors comme ça, vous travaillez pour Natalie ? C'est courageux de votre part ! ironisa Parker. Cette demeure est un sacré défi !

— Je ne m'occupe que des menues réparations ! expliqua Matthew. Les marches branlantes et les vitres brisées, des choses dans ce genre-là. Je ne suis que de passage, dans la région. A la fin de l'été, je poursuivrai ma route.

— Vraiment ? renchérit Parker, d'un ton inquisiteur.

Toutefois, en homme bien élevé, et voyant que Matthew ne poursuivait pas, il n'insista pas davantage. Dépliant les plans enroulés sous son bras, il les étala sur le comptoir.

— En tout cas, d'après Ward, mon oncle par alliance, vous êtes un homme de main hors pair ! ajouta-t-il cependant. Il semble qu'il vous ait vu à l'œuvre. Enfin… J'ai besoin de vos conseils, messieurs. Comme vous le voyez, nous sommes en train de faire construire une pouponnière, et nous nous heurtons à un léger problème.

Matthew savait que Parker Tremaine n'était pas venu jusqu'à la quincaillerie pour demander l'avis de l'homme à tout faire du *Pavillon d'Eté* sur ses affaires personnelles. Cependant, il aurait été maladroit de choisir ce moment pour sortir de la boutique.

Aussi, comme tout le monde, jeta-t-il un coup d'œil aux plans de la pouponnière. Il lui semblait important de faire preuve de courtoisie.

— Voyez-vous, l'architecte avait choisi de la mettre ici, en utilisant la partie du bureau reliée à notre chambre. Seulement Sarah pense que cela risque de gâcher la vue sur le lac, et je dois dire que je suis d'accord avec elle.

— De toutes façons, tu n'as pas le choix ! s'esclaffa un des clients. On ne contredit pas une femme enceinte !

Parker sourit et continua de montrer le tracé, du bout de l'index.

— Le hic, c'est que je ne vois pas bien ce que nous pourrions faire d'autre ! A quelques jours de la naissance du bébé, on ne peut pas tout reprendre à zéro !

S'ensuivirent quelques suggestions, auxquelles l'avocat prêta une oreille polie, bien que Matthew fût déjà en mesure de dire qu'elles ne conviendraient pas.

Il avait bien une idée, qui consistait en un simple réaménagement de l'espace, mais il répugnait à la formuler et s'éloigna discrètement de l'assemblée pour aller chercher son pied-de-biche.

Il n'avait pas sa place ici. Il aurait été futile de prétendre appartenir à la congrégation fraternaliste de Firefly Glen.

Sans compter qu'il était grand temps, pour lui, de remonter au *Pavillon d'Eté*.

Par hasard, cependant, son achat payé, il sortit au même moment que Parker. L'avocat l'interpella.

— J'ai été ravi de vous revoir, monsieur Quinn ! J'espérais que nos chemins se croiseraient, à un moment ou l'autre.

Matthew comprit qu'il était sincère. Ce millionnaire-ci ne semblait pas avoir le moindre problème à discuter avec un simple ouvrier.

Sans réfléchir, et peut-être pour le remercier indirectement de le traiter en égal, Matthew lui exposa sa solution.

— A propos de votre pouponnière... j'ai une idée. Vous pourriez retourner le problème... Transformer votre chambre en pouponnière et inversement... Il vous suffira de reculer le mur d'environ un mètre, pour que les proportions soient respectées. Cela ne sera pas bien long : d'après ce que j'ai vu, il ne s'agit pas d'un mur porteur. Ensuite, il ne vous restera plus qu'à déplacer les meubles...

Sans même consulter son plan, Parker comprit que cette idée était la bonne.

Son visage s'éclaira et il serra la main de Matthew avec une telle effusion que le jeune homme en fut presque gêné.

— C'est génial ! répéta l'avocat. Sarah va être ravie ! Bon sang, quelle chance de rencontrer un homme doté de sens pratique !

Matthew fut quelque peu déconcerté. Son intervention avait été si minime... Toutefois, il lui apparut qu'aux yeux de son interlocuteur, rien de ce qui pouvait rendre sa femme heureuse n'était insignifiant.

— Et, pendant que j'y pense... pouvez-vous faire passer un message à Natalie, de ma part ?

— Bien sûr !

— Dites-lui que j'ai été fort déçu qu'elle annule son mariage.

— Vraiment ?

Matthew s'interrompit, à court de mots. Qu'était-il censé savoir, au juste ? D'un autre côté, il trouvait difficile à croire qu'un homme tel que Parker regrettât sincèrement que Natalie n'eût pas épousé Bart Beswick par intérêt.

— Vous êtes sincère ?

Parker leva un sourcil et eut un petit rictus amusé.

— Tout ce qu'il y a de plus sincère ! Je me réjouissais déjà de la petite fortune que je me ferais, au moment du divorce !

* * *

— Atchoum !

— A tes souhaits ! répéta Suzie pour la centième fois.

Natalie se tourna vers sa jeune amie et la considéra d'un air dépité.

— Excuse-moi !

L'air était saturé de poussière, dans ce grenier, et elle éternuait toutes les trois minutes. Elle serait sortie de là sans attendre, si elle ne s'était pas autant amusée.

— Regarde ! dit-elle en déployant une somptueuse robe, brodée de perles vertes. Tu ne te vois pas, dans une splendeur pareille ?

Suzie ne l'écoutait plus. Elle venait d'ouvrir une nouvelle malle et était absorbée, elle aussi, par les étoffes fabuleuses qu'elle renfermait.

— Ouah ! s'exclama-t-elle en admirant une robe de satin rouge sang. Je n'en crois pas mes yeux !

Natalie leva le nez et émit un petit grognement appréciateur. La robe de soirée était effectivement magnifique, et si délicieusement coupée qu'elle ne requérait aucun accessoire.

— Je t'imagine volontiers là-dedans !

— Bah voyons ! ricana Suzie.

— Je t'assure ! Avec tes cheveux noirs et ta peau blanche, tu peux te permettre de porter des couleurs vives.

Natalie laissa échapper un petit soupir d'envie. Elle songeait à son propre teint, olivâtre. La seule couleur qui lui allait vraiment était le blanc…

Quoi de plus banal ?

— Tu ne veux pas l'essayer, pour voir ? proposa-t-elle, s'efforçant de ne pas forcer la main de la jeune fille.

Suzie était suffisamment critiquée pour ses tenues gothiques sans que Natalie en rajoute. Sans compter qu'elle trouvait que le noir seyait merveilleusement à l'adolescente.

Avec ce teint de porcelaine et cette grâce toute juvénile, cette petite aurait été fantastique même dans un sac à pommes de terre.

Natalie continua de fouiller dans sa malle. Les deux amies étaient montées consulter de vieux documents, concernant le *Pavillon d'Eté*. Natalie cherchait une indication sur la mosaïque originale de la piscine et Suzie lui avait proposé de l'accompagner, en attendant que la peinture du panneau mural soit sèche.

Mais ces vêtements d'une autre époque étaient tellement somptueux que ni l'une ni l'autre n'étaient parvenues à résister.

Du coin de l'œil, Natalie vit Suzie se lever, la robe rouge sous le bras, et s'avancer, d'un air détaché, vers la psyché.

Subrepticement, la jeune fille porta le haut de la robe jusqu'à sa poitrine et Natalie, consciente de ce qu'elle n'était pas censée la regarder, retint son souffle.

La métamorphose fut aussi immédiate que magique. Subitement, la petite sorcière ombrageuse ressemblait à Audrey Hepburn du temps de sa plus délicieuse splendeur.

Suzie considéra, bouche bée, son reflet dans le miroir. Ses yeux noirs étaient écarquillés. De toute évidence, elle ne revenait pas de sa surprise.

— Super ! s'exclama Natalie.

Sue lui jeta un coup d'œil meurtrier dans la glace et prit aussitôt un air blasé en laissant retomber le haut de la robe.

— Pfft ! Ça ne prouve rien ! N'importe qui peut être splendide, dans une robe à un million de dollars !

— Pas à ce point ! pouffa Natalie.

— De plus, il est hors de question que je commence à me déguiser en poupée pour impressionner mon monde. Ceux à qui je ne plais pas telle que je suis peuvent bien aller se faire voir !

Sur ces paroles meurtrières, elle alla reposer la toilette sur le dessus de la malle béante.

Natalie garda le silence un moment, cherchant la réponse appropriée. D'un côté, elle était tout à fait d'accord avec la jeune fille et…

— Quoi ? Tu crois que je fais fausse route ? demanda Suzie, se méprenant sur le silence de son hôtesse. Je veux être moi-même, tout simplement ! Je ne comprends pas que cela dérange !

Natalie haussa les épaules.

— Je ne dis pas que tu as tort ! Seulement, je pense qu'il y a plus d'une « vraie » Suzie. Pour ma part, j'ai mes humeurs, elles sont différentes et, pourtant, toutes sont également « vraies » !

L'adolescente fronçait les sourcils d'un air dubitatif. Natalie la gratifia d'un grand sourire.

— Tu sais comment c'est ! Parfois je me sens aussi belle que cette robe de soirée, et j'ai l'impression qu'on pourrait se mettre à genoux devant moi… A d'autres moments, en revanche, je me sens moche et ennuyeuse, comme un vieux jean et un T-shirt crasseux…

Baissant d'un ton, elle ajouta, d'une voix de conspiratrice :

— Et il m'arrive de me sentir super élégante toute nue… Ce qui est légèrement pervers, tu en conviendras !

Comme elle l'avait espéré, sa jeune amie éclata de rire. Puis, reprenant son sérieux, elle se mit à lisser l'étoffe avec mélancolie.

— Peut-être, seulement quand ton entourage te harcèle constamment pour que tu changes de style, tu ne peux plus en changer, même si tu le souhaites. Ce serait lui donner une trop grande satisfaction !

Elle tourna la tête vers Natalie.

Ses yeux noirs brillaient d'une lueur suspecte.

— Tu aurais dû entendre cette vieille bique de prof, quand je lui ai demandé une recommandation pour ma bourse d'étude ! Elle m'a quasiment déclaré que c'était impossible, à moins que je me transforme en petite fille modèle. Elle est allée jusqu'à me conseiller de porter de jolies petites robes… Comme si cela avait le moindre rapport avec ma peinture…

Elle fronça encore davantage les sourcils. Malheureusement pour elle, un rayon de soleil se reflétait dans ses yeux et Natalie vit qu'elle était au bord des larmes. Elle en fut terriblement choquée. Elle n'avait encore jamais vu Suzie pleurer, auparavant.

Et, à présent qu'elle avait commencé à parler, l'adolescente ne paraissait pas disposée à s'arrêter.

— Tu comprends, dans cette ville, les gens de mon âge se comportent le plus souvent comme si je n'existais pas. Je m'en fiche, bien sûr, seulement je sais très bien que si je me mettais à porter des petits pulls moulants et des minijupes, ce serait une autre histoire !

Soudain, Natalie entrevit la véritable nature du problème. Issue d'une famille de classe moyenne, parfaitement respectable, ce qui, dans une ville comme Firefly Glen revenait à être né du mauvais côté de la barrière, Suzie se sentait exclue par les jeunes gens fortunés dont regorgeait la communauté.

— Tu sais, je ne pense pas que tu aies besoin de changer complètement de garde-robe pour te faire des amis… En fait, il te suffit de prouver aux gens que la porte est ouverte…

— C'est cela… Et comment je m'y prendrais, au juste ?

— Je ne sais pas… En montrant divers visages, peut-être… Tu pourrais apparaître sous plusieurs styles différents… Un jour dans cette robe rouge, le lendemain en noir. Un jour avec lunettes, le lendemain sans…

Suzie fut visiblement trop estomaquée pour répliquer par un de ses sarcasmes habituels.

— Qu'est-ce que tu racontes ? Tu rigoles ? Ça ne marchera jamais !

— Je suis tout ce qu'il y a de plus sérieux !

— Si tu ne plaisantes pas, c'est que tu es complètement folle !

Estimant qu'elle avait prodigué suffisamment de conseils pour la journée, Natalie referma le couvercle de la malle.

— Comme je suis une Granville, je pencherais pour la deuxième solution.

Là-dessus, elle se leva et épousseta son T-shirt, ce qui la fit éternuer de nouveau.

— Seulement n'oublie pas que tant que tu n'auras pas essayé, tu ne pourras pas savoir !

8.

L'été était exceptionnellement doux, et les nuits fraîches et claires. Dans sa garçonnière, Matthew dormait toutes fenêtres ouvertes, se délectant du sifflement du vent, sur la cime des arbres et, par-dessus tout, de l'absence totale de tout son humain.

Pourtant, dans la nuit du mercredi au jeudi, il fut réveillé par des voix étouffées, certes, mais relativement proches. Il consulta sa montre et vit qu'il était 3 heures. A travers les arbres, il distinguait de la lumière provenant, à en juger par sa position, de la serre de Natalie.

Que pouvait-elle bien faire là en plein milieu de la nuit ? D'ordinaire, elle n'y travaillait que le matin, consacrant trois ou quatre heures à son entreprise, avant de passer l'après-midi à entretenir la maison. Et le soir venu, exténuée, elle se couchait de bonne heure.

Inquiet, il enfila son jean, un T-shirt et une paire de tennis. Tant qu'il ne se serait pas assuré que la jeune femme n'avait pas de problèmes, il serait incapable de se rendormir.

Quand il eut dépassé le rideau de chênes qui séparaient la garçonnière de la pépinière, il constata avec soulagement que l'immense serre brillait de tous ses feux, dans l'obscurité.

Du moins, il ne s'y passait rien de clandestin.

En ouvrant la porte, il se trouva confronté à une effervescence incongrue.

Natalie et ses trois employés étaient occupés à créer des dizaines d'arrangements floraux, le plus naturellement du monde. A les regarder, on aurait pu croire qu'il était midi et non 3 heures du matin.

— Natalie leva la tête et sembla consternée.

— Mince... Le bruit vous empêche de dormir ?

— Non ! répondit-il en secouant la tête. J'ai vu de la lumière et je me suis demandé ce qui se passait.

— Rien de grave, rassurez-vous, dit-elle en souriant. Sarah Tremaine est en salle de travail, depuis quelques heures. D'ici à demain matin, nous allons être submergés de commandes de bouquets. Sarah ne devait pas accoucher avant la semaine prochaine et nous ne sommes pas prêts...

Thomas, son assistant principal, un homme d'âge mûr, s'avança vers eux, des fleurs plein les bras. Natalie les passa rapidement en revue.

— Gardez les lilas pour Jocelyn Waitely... Elle tient à offrir le bouquet le plus cher. Et ajoutez des soucis, ainsi que quelques roses, à la composition d'Harry et Emma. Pas les rouges à longues tiges ! Parker nous commandera sûrement toutes celles que nous avons en stock...

Thomas acquiesça sans mot dire, et s'éloigna lentement.

— Je suis vraiment désolée de vous avoir réveillé, répéta-t-elle en se tournant vers Matthew.

Elle était visiblement très lasse. Après dîner, elle était montée arracher le papier peint défraîchi, dans la Chambre Bleue et Matthew se demanda si elle avait dormi un tant soit peu, avant de s'attaquer aux bouquets.

— Retournez vous coucher, ajouta-t-elle en souriant. Nous allons essayer de faire moins de bruit. Encore que...

Elle s'interrompit. Elle venait de remarquer que Mike Frome, à l'autre bout de la table, glissait quelques fougères dans un bouquet de marguerites.

— Non ! Pas dans celui-là, lança-t-elle. On va mettre des gueules-de-loup, pour voir ce que ça donne. Ne mélange pas le rouge et l'oranger.

Matthew la dévisagea un instant, sidéré par son autorité.

Il n'avait pas souvent pénétré dans la pépinière. Il n'y avait fait que quelques menus travaux, remplaçant une ou deux vitres, sur le toit, et stabilisant un banc à poterie quelque peu bancal.

Néanmoins, il connaissait les trois employés. Thomas travaillait quatre après-midi par semaine, et une femme d'une quarantaine d'années, appelée Blanche, tenait les comptes de l'entreprise, chapitrant sa patronne, lorsque celle-ci se refusait à relancer les mauvais payeurs.

Et, deux ou trois heures par semaine, Mike Frome venait leur donner un coup de main. D'ordinaire, sa fonction consistait à tondre les nombreuses pelouses, et sa participation à la pépinière semblait s'apparenter à un travail d'intérêt général. D'après ce que Matthew avait compris, l'adolescent avait fait des bêtises, et il remboursait sa dette à la municipalité de Firefly Glen de cette manière.

Bien que Matthew ne fût pas expert en la matière, il n'eut aucune difficulté à voir que Natalie était une arboricultrice-née.

Elle savait s'y prendre avec les plantes, complimentant celles qui fleurissaient, cajolant les traînardes, telle une mère encourageant un enfant timoré. Par ailleurs, elle savait comment traiter ses subalternes. Ceux-ci devaient se considérer davantage comme des amis que comme des employés, et Matthew subodorait qu'ils auraient travaillé gratuitement en cas de besoin.

Le plus étonnant, néanmoins, était l'ordre ambiant. Dans sa serre, Natalie était organisée, énergique et débordante d'imagination. Et si elle conservait une touche d'excentricité, elle ne perdait jamais le contrôle des événements.

Ses détracteurs ne l'avaient sans doute jamais vue vérifier ses commandes, pour être sûre de ne pas commettre d'impairs. Elle connaissait son stock sur le bout des doigts et était capable de calculer mentalement le prix d'un bouquet, au *cent* près.

En outre, ses facultés de réflexion, à cette heure tardive, étaient sidérantes.

— Je voudrais vous aider, dit-il. Donnez-moi quelque chose à faire.

Elle pencha la tête sur le côté et lui sourit.

— Je ne sais pas trop, monsieur Quinn… Votre potentiel de fleuriste ne m'a pas l'air très développé… Voyons un peu…, dit-elle en s'emparant d'une fleur. C'est un coquelicot ou une digitale ?

— A première vue, je dirais qu'il s'agit d'une plante rose…

— Nat, ma grande… Nous prenons du retard, lui rappela Blanche, dissimulée derrière une immense composition de fleurs blanches. Et dans moins de trois heures, ce téléphone va se mettre à sonner sans discontinuer !

— Entendu ! soupira Natalie. Vous êtes embauché. Vous voyez ces cartons, empilés, là-bas ? Ils contiennent des dizaines de vases et de paniers divers. Si vous pouviez les sortir, ça nous avancerait bien…

Après cela, ils n'eurent plus une minute pour parler d'autre chose que de couleurs, de tailles et de prix, de paniers et de verdure.

Le temps passant, et le ciel s'éclaircissant, les magnifiques agencements floraux de Natalie commencèrent à recouvrir tables et bancs.

Ce fut aussi épuisant que de courir un marathon mais, quand le téléphone commença à sonner, ils en avaient terminé.

Les pots servant de réceptacle aux centaines de fleurs coupées et branches de verdure étaient quasiment vides. Le sol était jonché de fougères brisées, de morceaux de bolduc, de cheveux d'ange et de floraisons que Natalie avait rejetées, pour une raison ou pour une autre.

Thomas, qui se tenait près du téléphone, prit le premier appel, avec un flegme étonnant, chez un homme qui avait fait preuve d'une telle énergie, tout au long de leur veillée.

Il écouta attentivement, salua son interlocuteur et raccrocha, avant de se tourner vers ses collègues, un sourire radieux aux lèvres.

— C'est une petite fille !

Il leur donna tous les détails, suscitant une acclamation un peu lasse.

C'est alors que Matthew se rendit compte que Natalie avait disparu. Il alla regarder derrière la montagne de bouquets, en vain.

— Il me semble qu'elle est partie s'occuper des cartes d'accompagnement, lui dit Mike, qui se lavait les mains dans le petit évier, au fond de la salle.

Il désigna de la tête un petit bureau, dans un coin, où Natalie avait installé un secrétaire et un classeur métallique, dans lequel elle consignait les dates de germination de ses plantes.

— Merci.

Matthew s'empressa d'aller voir. La jeune femme était là, la tête appuyée sur une main, regardant dans le vide. Les cartes étaient étalées en éventail devant elle.

Elle leva la tête et lui sourit.

— C'était la maternité ?

— Oui. Cordelia Lee Tremaine est parmi nous, depuis exactement trois quarts d'heure. Trois kilos… deux, je crois et en pleine forme.

— C'est merveilleux ! s'exclama Natalie en applaudissant. La mère de Parker s'appelait Cordelia. Il doit être aux anges !

Elle bâilla, ne mettant sa main devant sa bouche qu'au tout dernier moment.

— Quelle nuit ! dit-elle en lui tapotant le bras. Vous devez être épuisé ! C'est vraiment gentil de votre part, d'être venu à notre secours !

— Ça m'a plu. Et j'ai beaucoup appris !

Elle le dévisagea avec un petit sourire sceptique.

— Ah oui ! Comme quoi, par exemple ?

Matthew lui tendit une minuscule fleur rose qu'il venait de sauver de l'apocalypse.

— J'ai appris ce qu'était une digitale…

— Désolée de vous contredire, objecta-t-elle. Mais il s'agit d'un oxalis.

— J'aurai au moins essayé !

Il planta la petite fleur dans ses cheveux et recula d'un pas pour admirer l'effet produit.

— C'est joli ! En fait, j'ai trouvé ! Adorable florescence rose… Voila le nom scientifique !

Les joues de la jeune femme s'enflammèrent, et, lorsqu'elle porta la main à ses cheveux, pour toucher la fleur, il vit que ses doigts tremblaient légèrement.

Il n'aurait pas dû faire cela.

Depuis trois jours, en fait, depuis ce baiser à la pastèque extraordinairement sensuel, il s'efforçait de prendre une certaine distance… Ce qui n'était pas facile, loin de là. Et, quand elle le regardait ainsi, il avait bien du mal à se souvenir de la promesse qu'il s'était faite, de ne pas profiter de son innocence, même si c'était ce qu'elle voulait.

— Vous devriez aller vous reposer un peu. Vous êtes épuisée !

Un peu gênée, elle tira sur son chemisier et lissa ses boucles folles, qui avaient pris une couleur de bronze, à la lumière de l'aube.

— Je dois être affreuse ! lança-t-elle, avant de s'éclaircir la gorge. A mon avis, nous devrions tous les deux aller nous coucher. Mais avant, je vais vous préparer un petit déjeuner !

— Merci. Ce n'est pas la peine.

— J'ai des muffins tout frais et je peux vous faire une omelette. Ça ne sera pas bien long, vous savez !

— Impossible... Si vous vous souvenez, nous sommes convenus que je ne travaillerais ni jeudi ni vendredi, cette semaine. Je dois descendre à New York... Et, si je veux arriver à l'heure, pour mon rendez-vous, il faut que je parte tout de suite.

Malgré sa déception, elle lui sourit vaillamment.

— C'est vrai... J'avais complètement oublié ! Vous allez me manquer, mais je ne voudrais pas me mettre en travers de votre chemin. Vous devez avoir hâte d'aller voir vos amis...

— Je ne vais pas voir mes amis, coupa-t-il sèchement.

Peut-être le moment était-il tout à fait choisi pour aborder le sujet, après tout.

Peut-être avaient-ils tous deux besoin qu'il lui rappelle qui il était, en réalité.

— Quand on a détourné des millions de dollars, on n'a pas beaucoup d'amis, vous savez ... et je serais très étonné si un comité d'accueil s'était plié en quatre pour célébrer mon arrivée ! Par contre, j'ai un bon nombre d'ennemis...

Natalie se renfrogna.

— Dans ce cas, n'y allez pas ! dit-elle sans réfléchir. Vous n'avez qu'à rester à Firefly Glen ! Vous n'y avez que des amis.

— Impossible... Je dois y aller. Mon contrôleur judiciaire m'attend, poursuivit-il impitoyablement. Si je ne me présente pas devant lui, on viendra me chercher jusqu'ici... Et on me remettra en prison.

Natalie fut surprise de constater à quel point Matthew lui manquait. Comment avait-elle pu s'habituer aussi rapidement à la présence d'un homme sur sa propriété ?

Elle vivait là depuis la mort de son grand-père, cinq ans auparavant. Bien sûr, il lui arrivait de se sentir seule, et elle soupçonnait que son isolement avait été l'une des raisons pour lesquelles elle s'était laissée aller à accepter la demande en mariage de Bart. Certes, le *Pavillon d'Eté* étant un véritable gouffre, l'aspect financier de cette union avait eu son importance. Cependant, au-delà du côté matériel, elle avait peut-être été à la recherche d'un peu de chaleur humaine et de compagnie, pour meubler ces immenses pièces vides.

Fort heureusement, elle avait compris juste à temps que vivre aux côtés d'un homme dont elle n'était pas amoureuse serait bien pire que vivre seule.

Bien qu'ils soient bons amis, s'estiment et se respectent, leur relation n'aurait jamais pris un tour passionné, comme il se doit dans une union durable. A la longue, ils auraient été séparés par leur frustration et, du coup, la maison lui aurait paru encore plus grande, plus froide et plus déserte qu'avant.

Ç'aurait été épouvantable. Autant vendre immédiatement le *Pavillon d'Eté* à la municipalité — en admettant, bien sûr, que celle-ci accepte de l'acheter.

Aussi avait-elle décidé de continuer à vivre seule.

Et puis Matthew était arrivé…

Et, dès l'instant où elle l'avait vu, elle avait été submergée par des sentiments à la fois totalement inexplicables et d'une merveilleuse simplicité.

Elle l'aimait beaucoup. Elle lui faisait entièrement confiance. Elle appréciait sa compagnie, respectait ses opinions, comptait sur son soutien…

… Et elle le désirait à en mourir.

Lorsqu'il était allongé sur ce lit somptueux, dans la garçonnière toute proche, elle se surprenait à l'épier de sa fenêtre, telle une Juliette éplorée dont le Roméo éreinté serait parti se coucher.

Hélas, de toute évidence, son attirance n'était pas réciproque. Elle s'était quasiment offerte à lui, le jour où ils avaient partagé cette fameuse pastèque, et sa seule réaction depuis lors était d'agir comme s'il ne s'était jamais rien passé.

En fait, elle avait même remarqué que, depuis ce baiser, Matthew s'efforçait de travailler là où elle n'était pas.

En théorie, embrasser un homme par surprise lui paraissait bien joué, si on voulait amorcer une relation. Malheureusement, en cas de méprise sur les sentiments de l'être convoité, on risquait surtout de passer pour une idiote.

Malgré tout cela, elle comptait les heures la séparant du retour de Matthew, qui devait revenir le vendredi après-midi.

Elle passa la journée du jeudi à livrer des bouquets, ce qui présentait au moins l'avantage d'être agréable. Mais le vendredi matin, renonçant à se préparer un véritable petit déjeuner, elle se mit à broyer du noir, devant son bol de céréales.

Dans l'après-midi, néanmoins, songeant que Matthew serait peut-être de retour à temps pour dîner, elle mit une pièce de bœuf, quelques pommes de terre, des carottes, des oignons et des tomates à mijoter dans une cocotte.

Puis, en chantonnant, elle apporta une touche finale à son bouquet personnel à Sarah Tremaine.

Elle était peut-être passée pour une idiote, mais elle n'avait pas dit son dernier mot.

En milieu d'après-midi, elle pénétra dans le petit hôpital municipal de Firefly Glen, et s'arrêta devant la pouponnière pour admirer la petite Cordelia Tremaine.

Elle ne fit que l'entrevoir. L'enfant était enveloppée dans une couverture rose, d'où ne s'échappaient qu'une minuscule frimousse et deux petits poings crispés. Pourtant, cette vision faillit lui mettre les larmes aux yeux.

Comme elle s'y attendait, Parker était assis sur le bord du lit de sa femme. Il lui tenait la main, la contemplant comme s'il n'avait jamais rien vu de plus beau au monde.

La scène était tout à fait charmante. Depuis leur mariage, l'hiver précédent, on les croisait rarement l'un sans l'autre. Les Glennois aimaient la romance et celle-ci ne les avait nullement déçus. Et si Parker n'était pas le père naturel de l'enfant de Sarah, personne ne doutait un seul instant qu'il élèverait le nouveau-né comme sa propre fille.

Sarah leva les yeux vers sa visiteuse et tendit la main vers le bouquet de roses miniatures, parsemé de cheveux d'ange.

— C'est magnifique, Natalie ! Tu es vraiment douée… Regarde-moi toutes ces compositions !

Natalie passa la pièce en revue avec une certaine satisfaction. L'espace était entièrement fleuri et, malgré sa modestie, elle devait bien avouer que certains bouquets étaient extrêmement originaux.

Parker lui avait commandé cinq douzaines de roses, de toutes les couleurs, et l'ensemble rendait plutôt bien. On aurait dit un arc-en-ciel, noué par un ruban de velours rose. Ce qui, songea Natalie, devait refléter les sentiments de l'avocat, en ce moment précis.

— Salut, Nat ! dit-il en la gratifiant d'un baiser sur la joue.

Ils se connaissaient depuis si longtemps qu'il ne prenait plus la peine de la féliciter pour son travail. Du jour où elle avait monté son entreprise, Parker avait renoncé à acheter la moindre fleur à la concurrence, ce qui valait bien tous les compliments du monde.

— Assieds-toi donc !

Natalie poussa deux compositions l'une contre l'autre, afin de faire un peu de place à la sienne, puis alla s'installer dans le fauteuil. L'un des avantages, à vivre dans une ville aussi résidentielle, était que les chambres d'hôpital s'apparentaient à celles d'un hôtel quatre étoiles.

Elle examina le joli visage, un peu las, et les boucles dorées qui tombaient en cascade sur les épaules de la jeune accouchée.

— Alors, dit-elle. Comment ça s'est passé ? Tu as l'air en pleine forme !

— Elle est resplendissante, tu veux dire ! surenchérit Parker, en reprenant la main de sa femme. Je ne sais pas comment elle a pu supporter tout cela. Elle a été extrêmement courageuse.

— Ça n'a pas été si terrible que tu veux bien le laisser entendre, affirma Sarah. Ça n'a duré qu'une dizaine d'heures, ce qui n'est rien pour une première naissance.

— Tu trouves que ce n'est rien ? s'écria Parker, qui était légèrement pâle lui-même. Je ne sais pas ce qu'il te faut !

— Tu aurais dû l'entendre, Natalie ! dit Sarah en secouant la tête. Il a été insupportable. Il n'a pas cessé de harceler la pauvre Heather. « Donne-lui des anesthésiants »... « Accélère le mouvement »... « Débrouille-toi pour que ça s'arrête »... Nous avons dû nous fâcher pour qu'il se calme enfin.

Les yeux clairs de Parker se mirent à briller.

— Tu dois parler du moment où je me suis évanoui…

— Tu sais bien que je plaisante, dit Sarah en lui serrant la main. Sans toi, jamais je ne m'en serais sortie ! Tu as été merveilleux.

— Non, ma chérie. C'est toi qui as été merveilleuse !

Natalie s'éclaircit bruyamment la gorge.

— Au cas où vous ne l'auriez pas remarqué, dit-elle platement, vous n'êtes pas tout seuls, dans cette chambre !

— Ah bon ? demanda Parker, un sourire radieux aux lèvres. Tu es encore là ?

— Oui. Et si tu avais deux sous de bon sens, tu irais voir ta fille… En fait, si tu avais le moindre tact, il te viendrait peut-être à l'esprit que Sarah et moi avons à parler entre femmes.

— C'est bête que je n'aie rien de tout cela, rétorqua-t-il en haussant les épaules.

— Si tu veux vraiment qu'il sorte, il le fera volontiers, tu sais ! intervint Sarah en fixant son mari avec insistance. Que se passe-t-il ? Tout Firefly Glen semble s'extasier sur le physique de play-boy de ton homme à tout faire. Tu lui as fait des avances ?

— J'espère bien que non…, intervint Parker, un sourcil levé.

— Et pourquoi donc ? demanda Natalie, se hérissant.

Parker était un peu plus âgé qu'elle et, lorsqu'ils étaient enfants, il l'avait toujours protégée, jouant le rôle du grand frère qu'elle n'avait pas eu.

A l'époque, c'était charmant, seulement maintenant, cela lui semblait extrêmement fâcheux.

— Quel mal y aurait-il à lui faire des avances ? reprit-elle en le foudroyant du regard. C'est parce qu'il n'est qu'un simple ouvrier que tu dis cela ? Eh bien, sache qu'en réalité, il est tout autre chose. Tu me déçois, Parker. Jamais je n'aurais cru que tu puisses te montrer aussi snobinard... Et si tu penses qu'il en a après mon argent, tu te trompes. Il sait que je suis pauvre comme Job. De plus, c'est moi qui le poursuis de mes assiduités. Pas l'inverse.

Parker se tourna calmement vers sa femme.

— Ma chérie, j'ai oublié de te faire part d'un détail, à propos des Granville, dit-il d'un ton neutre. Ils partent au quart de tour. Un peu comme les roquets, tu vois... Ils se mettent dans des états incroyables, sans qu'on sache pourquoi.

— C'est vrai, ça ? demanda Sarah, souriante.

— Hélas, oui. Je crains bien que ce soit inscrit dans leurs gènes... Calme-toi, Nat ! Est-ce que j'ai prononcé le moindre mot sur le statut social de Matthew Quinn ? Ce n'est pas « le snobinard », comme tu dis, qui te parle... C'est l'avocat.

Surprise, elle fronça le nez.

— L'avocat ? Je ne vois pas le rapport avec Matthew.

— Eh bien, moi, si. Ce garçon est ton employé, non ? Par conséquent, la moindre avance de ta part s'apparente à du harcèlement sexuel... On pourrait considérer que tu crées autour de lui une atmosphère de travail empoisonnée. Ce qui, tu en conviendras avec moi, ne serait pas juste envers lui... En plus d'être parfaitement illégal.

Prise de court, Natalie resta momentanément muette. Jamais elle n'avait envisagé les choses sous cet angle. Pas plus qu'elle n'avait réellement considéré Matthew comme son employé... Ce qui prouvait bien, du moins elle le supposait, qu'elle était à des milliers de kilomètres de cette nouvelle problématique.

Elle voyait en lui un camarade, un associé, quelqu'un qui l'aidait par simple amitié.

— C'est parfaitement ridicule, balbutia-t-elle enfin, bien que consciente de la faiblesse de sa défense.

— Tu crois ?

Parker, lui, ne faiblissait pas. Au contraire, il avait l'air extrêmement sérieux.

Et il parlait sérieusement.

— Bien sûr ! Matthew sait bien que, pour rien au monde, je ne... Enfin... Ce n'est pas parce que je l'ai embrassé qu'il doit...

— Bon sang, Nat ! Tu l'as embrassé ?

— Une seule fois. Je ne voulais pas... J'ai agi sans réfléchir, bredouilla-t-elle, se sentant rougir. Tu vois, Parker... C'est pour cela que je voulais que tu sortes.

— Ne recommence surtout pas une chose pareille. Enfin, Natalie... Mets-toi à sa place... Nous savons tous qu'il a fait de la prison. Ce travail est certainement vital, pour lui. Or, ce que tu sous-entends, en lui sautant au cou, c'est que son bulletin de paie est soumis à condition.

L'image était fort déplaisante.

Et erronée.

Leur attirance avait été réciproque. Elle n'avait forcé personne. Franchement, et bien que Parker eût l'air d'en douter, elle n'avait encore jamais eu à forcer la main d'un homme pour se faire embrasser...

Sûre de son bon droit, elle se redressa.

— Et toi, ce que tu sous-entends, c'est que l'idée de m'embrasser lui déplaît tellement qu'il pourrait préférer quitter son travail... C'est gentil ! Je te remercie !

Parker poussa un gros soupir et leva les mains en signe de reddition.

— Une autre chose qu'il faut que je te dise, à propos des Granville, ma chérie... Ils sont totalement incapables de discuter raisonnablement. Ce n'est même pas la peine d'essayer.

9.

Matthew rentra de bonne heure. Le soleil brillait toujours sur Firefly Glen lorsque, remontant Vanity Gap, il parcourut, à flanc de montagne, le chemin qui le séparait du *Pavillon d'Eté*.

La première chose qui le frappa fut la pureté de l'atmosphère, qui contrastait agréablement avec la pollution de la métropole. Il alla se garer sous un érable bicentenaire, à l'arrière de la paisible propriété. Et si, naguère, il avait été convaincu de ne pouvoir vivre loin de l'agitation urbaine, il fut étonné de constater à quel point tout son être s'apaisait, ses muscles se détendant, et son agitation intérieure laissant place à une sérénité inhabituelle.

Il aimait cet endroit. Il s'y sentait en parfaite harmonie avec l'environnement.

S'il ne s'était pas tant méfié du mot « bonheur », il aurait affirmé qu'il se sentait heureux, ici.

Puis, regagnant ses quartiers, son sac à la main, il aperçut une demi-douzaine d'hommes qui, rassemblés autour de la piscine, y travaillaient avec une efficacité toute professionnelle.

S'immobilisant devant le bassin vide, il jeta un coup d'œil à ce qui n'était, quarante-huit heures plus tôt, qu'un amas de débris sur du béton dénudé.

Le changement était spectaculaire. Les trous avaient été comblés, de nouveaux carrelages de différentes couleurs complétaient la mosaïque détériorée, et Matthew put enfin en discerner le motif : à en juger par les pattes arrière, qui étaient celles d'un lion et par les ailes, déployées sous une tête d'aigle, il s'agissait d'un griffon mythologique… Une œuvre d'art d'une beauté incontestable.

Les ouvriers étaient occupés à terminer la mosaïque, de manière à pouvoir appliquer une couche de vernis sur le bassin. C'était une tâche fastidieuse, requiérant à la fois une bonne dose de patience et de précision, et Matthew ne regretta pas un seul instant qu'elle ne lui incombât pas.

Toutefois, il s'interrogeait : qu'est-ce qui avait bien pu décider Natalie à faire exécuter le travail par des professionnels, plutôt que de s'acharner à s'en acquitter elle-même ?

Intrigué, il s'approcha de l'un des ouvriers.

— Beau travail, fit-il observer d'un ton neutre.

L'homme leva la tête et acquiesça.

— Le résultat est surprenant, non ? Elle nous fait travailler non-stop, par équipes de six. Quand nous en aurons terminé avec la mosaïque, il ne nous restera plus qu'à passer le vernis. Nous devrions avoir fini avant la nuit.

— Vous n'avez pas flâné ! Comment avez-vous fait ? J'aurais pourtant juré que, rien que pour trouver le carrelage adéquat, il faudrait plusieurs semaines.

— Ça fait bien deux mois que nous sommes sur cette affaire… Et nous avons effectivement dû nous démener, pour trouver les matériaux appropriés ! Et puis, au moment où nous étions enfin prêts, il y a eu un problème… Plus de grand mariage et, par conséquent, plus de remise en état de la piscine. Ce genre de travail est assez coûteux, voyez-vous !

L'homme haussa les épaules et reprit.

— Le choc a été plutôt rude, croyez-moi ! Un bon nombre de petites entreprises ont vraiment regretté que cette histoire d'amour tourne au vinaigre.

De nouveau, Matthew examina le motif compliqué de la mosaïque. Si Natalie et lui avaient essayé de la restaurer eux-mêmes, non seulement il leur aurait fallu plusieurs mois, mais le résultat n'aurait pas été aussi probant.

— Je ne comprends pas ce qui l'a fait changer d'avis…

L'homme se mordilla pensivement la lèvre.

— Moi non plus, figurez-vous… Mlle Granville nous a téléphoné, il y a quelques jours, pour nous annoncer qu'elle relançait les travaux et nous demander de venir, toutes affaires cessantes. Je suppose qu'elle a décidé de financer l'opération toute seule. Ce n'est pas donné, vous savez ! Un travail pareil doit aller chercher dans les dix mille dollars ! précisa-t-il en désignant le bassin.

Dix mille dollars…

Tout s'expliquait. Le vase Ming, miraculeusement découvert dans le fouillis de la cabane à outils, s'était transformé en une piscine toute neuve et, néanmoins, conforme au cachet de la propriété.

Matthew regagna sa garçonnière et déposa son sac. Natalie avait réapprovisionné le petit réfrigérateur, le remplissant de boissons et de provisions diverses. Le vase contenait des fleurs fraîches, dont il se demanda furtivement s'il s'agissait de digitales ou de pivoines… Il en effleura les pétales et ne put réprimer un sourire.

Il passa ensuite un rapide coup de fil à sa sœur, pour lui donner de ses nouvelles.

Maggie avait une fâcheuse tendance à s'inquiéter outre mesure et, tout en écoutant d'une oreille distraite ses propos assomants, il songea qu'il était grand temps qu'elle fonde une famille. Peut-être cesserait-elle alors de se faire autant de souci pour lui…

Lorsqu'elle eut enfin raccroché, il décida d'aller voir Natalie, afin de lui annoncer son retour. Ensuite, profitant de ce qu'il faisait encore jour, il irait travailler dans la chambre Bleue, où il refaisait l'électricité.

Un fumet délicieux s'échappait de la cuisine. Un ragoût mijotait tout seul dans un grand faitout.

Matthew appela la jeune femme, en vain.

Comme il avait réparé la poignée de la porte de la salle de jeu, il était en droit de supposer qu'elle ne s'y était pas enfermée. Sans compter qu'il n'avait vu personne errer sur le toit.

Dans la bibliothèque, peut-être ? Natalie y passait parfois plusieurs heures d'affilée, épluchant de vieux documents, à la recherche d'anecdotes juteuses sur le *Pavillon d'Eté*. De temps en temps, Matthew la retrouvait assoupie sur un tas de journaux anciens, bien après minuit.

Dans ces cas-là, il lui suffisait de lui effleurer l'épaule pour qu'elle se réveille, débordant d'enthousiasme, à l'idée de lui relater une nouvelle péripétie familiale.

Ils s'asseyaient alors côte à côte, à la seule lumière de l'ampoule nue, et elle lui relatait infatigablement l'histoire de sa famille et de l'immense demeure. Matthew adorait l'écouter parler. Elle avait un respect infaillible — et presque contagieux — pour ce vieux tas de pierres, et cela malgré tout l'argent, l'énergie et le temps qu'il lui prenait.

Souriant à ce souvenir, il ouvrit doucement la porte de la bibliothèque.

— Oh ! Monsieur Quinn ! Bonjour ! lança Suzie Strickland en se tournant vers lui. Natalie est sortie… Je crois qu'elle est partie pour l'hôpital, voir le bébé de Sarah.

— Merci, répondit Matthew, s'apprêtant à rebrousser chemin.

Suzie travaillait à son trompe-l'œil et il était de notoriété publique qu'elle préférait être seule, dans ces moments-là.

Pourtant, à sa grande surprise, elle l'interpella.

— Monsieur Quinn ? Je peux vous demander un service ou vous êtes trop occupé ?

Matthew pénétra d'autant plus volontiers dans la pièce que, bien qu'ils ne se croisent que très rarement, les deux jeunes gens s'étaient toujours appréciés. Cela semblait étonner Natalie : à l'en croire, Suzie ne se laissait pas amadouer aussi facilement, d'ordinaire.

Pour sa part, Matthew n'en était pas surpris outre mesure. Suzie brûlait manifestement d'envie qu'on reconnaisse son talent et, lui, il s'y connaissait en matière d'art. Il le fallait bien, dans les cercles mondains de New York où tout un chacun se devait d'être amateur de belles choses, sous peine d'être qualifié de béotien... Par conséquent, il ne lui avait pas fallu plus de deux secondes pour comprendre que cette adolescente grincheuse, et si tristement vêtue, serait un jour une artiste en vogue.

Et pas n'importe laquelle !

Il recula d'un pas, de manière à avoir une vue d'ensemble sur le trompe-l'œil.

— Oui..., déclara-t-il d'un ton pensif. Vous avez trouvé la bonne perspective, non ?

Suzie cligna des yeux et se mit à loucher. Abandonnant les énormes lunettes qui lui mangeaient le visage, elle s'était mise à porter des lentilles, tout récemment, et elle n'y était pas encore tout à fait habituée.

— Je ne sais pas... C'est ce que je voulais vous demander. Le chien... On dirait que quelque chose ne va pas..., expliqua-t-elle, en foudroyant l'animal du regard.

Matthew prit le temps de l'examiner, avant de répondre.

— C'est peut-être l'ombre… Vu l'emplacement de votre soleil, je ne suis pas certain qu'elle tomberait sous cet angle.

Suzie pencha la tête sur le côté, étudia attentivement le tableau, puis brandit un poing triomphant.

— C'est cela ! s'écria-t-elle. C'est exactement cela ! Merci infiniment, monsieur Quinn !

L'espace d'un instant, Matthew se demanda si elle était consciente du charme qui émanait d'elle, lorsqu'elle souriait ainsi. Bien sûr, il ne le lui aurait fait remarquer pour rien au monde. C'eût été totalement déplacé : de toute évidence, la jeune fille se donnait un mal fou pour se convaincre que les artistes n'avaient que faire de leur apparence physique.

De toute manière, sa joie fut de courte durée. Quelques secondes plus tard, elle avait retrouvé son air renfrogné.

— Hmm… Je voulais vous demander autre chose, monsieur Quinn. Seulement, cela risque de vous contrarier, et ça m'ennuierait beaucoup, après ce que vous venez de faire pour moi… D'un autre côté, je n'ai pas le choix. J'ai besoin de vos conseils.

De toute évidence, elle était extrêmement agitée.

— Ne vous en faites pas, dit-il d'un ton égal. Si ça ne me convient pas, je vous le ferai savoir !

Elle soupira et se mit à triturer ses pinceaux, avec une nervosité certaine.

— D'accord. Je ne vous embêterais pas avec mes petits problèmes, si j'avais le choix… Voyez-vous, je dispose d'une petite somme d'argent, que j'avais mise de côté pour pouvoir faire des études artistiques. Ça fait des années que j'économise. Je travaille tout le temps… Il y a quelques mois de cela, j'ai même élevé une portée de chiens d'arrêt, ce qui s'est révélé fort rentable, ma foi… Malheureusement, je n'ai pas assez pour m'inscrire dans cette école. Je pensais obtenir une bourse, mais elle m'a été refusée, et mon projet est tombé à l'eau.

— Et pourquoi donc ? demanda Matthew, un sourcil levé. A mon avis, la première école des Beaux-Arts s'apercevra que vous êtes bourrée de talent !

— Mon talent..., ricana Suzie. Mon talent, comme vous dites, n'est pas le plus important, apparemment. Pour obtenir une recommandation, dans cette ville stupide, il faut surtout être mignonne et agir en conséquence... Seulement, il est hors de question que je m'affuble d'un rouge à lèvres écarlate pour caresser le jury dans le sens du poil... Même pour obtenir une bourse d'étude !

Elle avait parlé d'un ton rude et décidé. Malgré tout, Matthew discerna sans peine son amertume.

— Je vois... Et que comptez-vous faire, à présent ?

— C'est là que vous intervenez... Vous pourriez peut-être me conseiller sur la meilleure manière d'investir mon argent, de façon à ce que je puisse financer moi-même mes études. J'ai toute une année devant moi, pour réunir cette somme, vous comprenez ? Ce n'est pas comme s'il me la fallait demain matin !

Matthew soutint un moment ce regard vif et tellement prometteur, en regrettant amèrement de ne pas avoir un million de dollars à disposition.

Si ça avait été le cas, il aurait pu faire changer la toiture du *Pavillon d'Eté* et envoyer cette gamine talentueuse étudier dans la meilleure école du pays... Après quoi, il se serait enfui sur une île déserte, ou au pôle Nord, afin de ne plus se trouver mêlé à tous ces petits drames personnels.

— Suzie... Je ne suis plus dans la partie, commença-t-il, la mâchoire serrée.

Il trouvait plus difficile de débouter la jeune fille que sa patronne, car là où Natalie était d'un tempérament joyeux et exubérant, cette gamine lui paraissait sombre et quelque peu désespérée. De toute évidence, si elle ne parvenait pas à ses fins artistiques, si ce talent extraordinaire restait larvé, faute d'études, c'était sa vie entière qui risquait d'être brisée.

— Je sais ! répondit-elle.

Elle s'était tournée vers lui et le regardait droit dans les yeux. Son visage pâlot et malheureux disait clairement sa détermination farouche.

— Je suis au courant de vos démêlés avec la justice, et ça m'est égal. Je vous fais entièrement confiance.

— Ce n'est pas seulement une question de confiance. On risque gros, à investir son argent. On peut tout perdre, vous comprenez ?

— Ça m'est égal, répéta-t-elle, la mâchoire serrée. Ecoutez... J'ai cinq mille dollars. Il m'en faut dix, à la fin de l'été prochain. Sinon... j'aurai économisé pour rien.

Ses mains étaient crispées sur ses hanches et ses jointures, tachetées de peinture, étaient toutes blanches, tant son désespoir était grand.

— Si vous ne m'aidez pas, personne d'autre ne le fera. Mes parents ne veulent pas que j'entre dans cette école. Tout ce qui les intéresse, c'est que j'épouse un des richards du coin. Comme ça, ils seront enfin admis à leur fichu Country Club !

Matthew sentit l'indignation s'emparer de lui. Quel genre de parents cette jeune fille avait-elle donc ? Ils avaient en face d'eux une véritable artiste. Pour rien au monde, elle ne se transformerait en poupée de luxe, mariée à un milliardaire quelconque, et pavoisant au Country Club local, pendant que papa et maman joueraient au golf avec sa belle-famille snobinarde.

L'idée de s'exiler au pôle Nord devenait de plus en plus séduisante.

— Ecoutez, Suzie… Je ne peux absolument rien faire pour vous. Je n'ai plus de licence… Je n'ai aucune connaissance de ce qui se passe actuellement dans le monde des finances. Et, par-dessus tout, je n'ai pas le droit de m'interposer entre vous et vos parents !

Les yeux noirs de la jeune fille se mirent à briller d'une lueur dangereuse.

— En ce qui me concerne, vous pourriez construire la grande muraille de Chine entre mes parents et moi, cela ne me ferait ni chaud ni froid… Je vous en supplie, monsieur Quinn ! De toute manière, je suis décidée à investir cet argent. Vous ne pourrez pas m'en empêcher… Par contre, vous pouvez m'éviter de commettre une erreur grossière. J'ai des amis… Ils se chargeront des démarches. Dites-moi simplement dans quelle entreprise placer mes économies.

— Je ne le peux pas, répéta-t-il avec amertume.

— J'avais envisagé d'acheter des parts à cette chaîne de drugstores, poursuivit-elle, sans se démonter. Vous savez, celle qui fait sa publicité avec un petit chien…

« *Non, non, mille fois non* ! » pensa-t-il à part lui. L'entreprise dont elle parlait n'avait aucun avenir. Ses stocks diminuaient régulièrement, et cela depuis trois bonnes années.

Toutefois, et bien qu'il lui en coûtât, il resta muet.

Vive comme l'éclair, Suzie tira ses propres conclusions de ce mutisme.

— O.K. Dans ce cas, que diriez-vous d'une entreprise d'informatique ?

Il secoua la tête lentement. Ce type de sociétés était trop peu fiable. Bon sang… Il sentait qu'il allait regretter cette entrevue, et se détester.

— Des fournisseurs d'électricité ?

— Vous savez, commença-t-il, d'une voix tendue, si j'avais de l'argent à investir, ce qui n'est pas le cas, et prouve bien à quel point je suis mal placé pour vous conseiller… Si j'avais de l'argent, donc, je le placerais dans un domaine qui me plaît, personnellement. Une entreprise dont le produit est toujours de qualité… Meilleur que ceux proposés par la concurrence. Comme… Je ne sais pas, moi… Vous aimez le cinéma ?

Elle se mordilla la lèvre, qui était maculée d'une petite tache brune, de la même couleur que les troncs d'arbre, sur le trompe-l'œil.

— Vous me conseillez d'investir dans une entreprise cinématographique ? Qui produit le genre de films que j'aime ?

— Il faut voir… Quel genre de films aimez-vous ?

Elle énuméra aussitôt des œuvres de qualité, des films d'art et essai, réalisés par des indépendants, et dont la plupart avaient été financés par une maison de production en plein essor.

Lors de son voyage éclair à New York, Matthew avait eu vent d'un bon nombre de rumeurs. Même s'il ne pouvait rien faire des informations recueillies, c'était plus fort que lui : il était conditionné pour s'y intéresser. Or, tous les experts semblaient penser que les producteurs en question étaient en bonne position pour percer en Bourse.

— Quelque chose dans ce genre-là, dit-il précautionneusement. En tout cas, c'est ce que je ferais, moi. Et, quel que soit mon choix, je me limiterais à l'extrême. Je n'envisagerais pas, par exemple, de miser plus d'un cinquième de mon capital, pour commencer. On ne sait jamais…

— Entendu ! dit-elle d'un ton presque enjoué. J'ai compris le message…

Sans se soucier des taches qu'elle avait sur les doigts, elle porta ses poings à son cœur, un peu comme si elle ne parvenait qu'à grand-peine à contenir une émotion trop intense.

— Je vous remercie, monsieur Quinn. Sincèrement ! Je n'oublierai jamais ce que vous venez de faire pour moi. Jamais, vous m'entendez ?

Matthew secoua la tête.

— Ne me remerciez pas maintenant. Si vous perdez votre mise, peut-être ne me serez-vous plus aussi reconnaissante !

— Bien sûr que si ! rétorqua-t-elle d'une voix embuée. Ce n'est pas simplement le fait que vous m'ayez conseillée, voyez-vous... C'est surtout l'idée que vous ayez confiance en mon avenir... Vous êtes la première personne à sembler vraiment convaincue de la valeur de mon travail !

Se tournant vers le trompe-l'œil, il sourit d'un air confiant.

— Ne vous inquiétez pas. Je ne serai pas la dernière !

Bien que Natalie se répétât que l'avertissement de Parker sur le harcèlement sexuel était totalement dénué de fondement, elle éprouvait quelque difficulté à passer totalement outre.

Aussi, pendant quelque temps, se tint-elle sur ses gardes. Et lorsque Matthew revint de New York, elle s'appliqua à se faire aussi rare que possible.

Elle passa ainsi un bon nombre d'heures, dans sa serre, à rempoter et tailler ses plantes, à la quincaillerie, où elle se fournit en matériels divers, à la bibliothèque municipale, pour y consulter des archives, et chez Granville, Théo, Sarah ou Stuart... Bref, chez toute personne qui acceptait de la recevoir.

Du coup, l'heure du petit déjeuner mise à part, elle n'avait pas passé plus de dix minutes avec Matthew de toute la semaine. Cependant, il lui en avait coûté, et elle savait qu'elle était en phase d'atteindre ses limites.

Le vendredi suivant, lorsque ses ouvriers lui annoncèrent que la piscine était complètement restaurée, nettoyée, remplie, et que tous les tests avaient été accomplis avec succès, Natalie ne put résiter plus longtemps.

Elle voulait inaugurer cette piscine si longtemps désaffectée, et pour ce faire, elle souhaitait la compagnie de Matthew.

C'est qu'elle l'appréciait, bon sang ! Elle s'amusait bien, avec lui. Ce n'était pas qu'une simple question d'attirance physique !

Enfin… pas uniquement…

Elle revêtit donc son costume de bain le plus sobre, un maillot une pièce, vieux et informe, qui ne l'avantageait pas, loin de là. Elle enfila ensuite un peignoir de coton usé jusqu'à la corde et une paire de tongs bon marché, avant de se démaquiller complètement et d'emprisonner ses boucles folles dans un ruban rouge, tout simple.

Elle alla se regarder dans le miroir et fut satisfaite du résultat. Elle n'avait rien d'une femme décidée à harceler son employé. En fait, elle n'avait plus rien de féminin.

Elle attendit la nuit, afin d'être sûre qu'il en aurait terminé avec son travail, puis, prenant son courage à deux mains, elle alla frapper à la porte de la garçonnière.

Il mit un certain temps à lui ouvrir, et elle commençait à craindre qu'il se fût endormi, lorsqu'il lui apparut, finissant de faire glisser sur sa peau le T-shirt que, de toute évidence, il venait d'enfiler à la hâte.

— Bonsoir, dit-il, avant d'attendre, un sourire poli aux lèvres, qu'elle lui expose la raison de sa visite.

— Bonsoir ! répondit-elle vaillamment.

Puis elle resta sans voix, regrettant de ne pas avoir préparé son entrée en matière.

— Ça vous dirait d'aller vous baigner ? On m'a annoncé aujourd'hui que la piscine était comme neuve et je me suis dit que vous accepteriez peut-être de venir fêter cela avec moi…

Devant l'hésitation marquée du jeune homme, elle s'empressa d'ajouter :

— Voyez-vous… Cette petite folie m'a coûté plutôt cher et puis, c'est l'été… Il a fait terriblement chaud, aujourd'hui… Il ne s'agit que de faire trempette, sincèrement ! Je ne me sens pas d'humeur badine ou quoi que ce soit… Je dis cela au cas où vous auriez des doutes à ce sujet, et…

« *Bon sang, mais tais-toi donc, Natalie !* » songea-t-elle. Cette tendance à la loggorhée était le trait de caractère le moins séduisant, chez les Granville.

Toutefois, elle fut soulagée de constater qu'un léger sourire éclairait le visage de Matthew.

— Ça me semble une excellente idée… Pour tout vous avouer, ajouta-t-il en se tournant vers le bassin, depuis que vous avez fait installer ce toboggan, ce matin, je meurs d'envie de l'essayer !

Natalie était aux anges.

A la dernière minute, elle avait décidé d'ajouter à l'ensemble un toboggan de plastique bleu, haut de 45 pieds, du genre de ceux qu'on trouve dans les piscine des hôtels de luxe. Elle avait agi sur un coup de tête, et l'entrepreneur chargé de la restauration de la piscine devait être un puriste, car il n'avait pas pris la peine de dissimuler sa réprobation.

— Moi aussi ! C'est génial, non ? Je sais que c'est un peu dingue, de mettre du plastique derrière cette grotte à l'italienne… Eslpeth Grant en fera probablement une jaunisse. Seulement, j'en rêvais depuis ma plus tendre enfance, et comme il me restait juste assez d'argent, après la vente du vase, je me suis dit que je pouvais bien me l'offrir !

— Vous avez bien fait ! Au diable Eslpeth Grant… Elle n'a pas voix au chapitre, tant que cette propriété vous appartient !

D'un geste du menton, Matthew désigna l'intérieur de la garçonnière.

— Bien ! Je vais aller passer un maillot et je vous retrouverai là-bas. Entendu ?

— Bien sûr ! répondit-elle, en reculant vivement d'un pas. Bien sûr ! Je vous attends à la piscine.

Ce ne fut pas bien long. Elle n'avait encore de l'eau qu'à mi-cuisses lorsqu'il ressortit. Le contemplant, tandis qu'il s'avançait vers elle, elle sentit un délicieux frisson lui parcourir l'échine. Pendant son incarcération, le jeune homme avait dû travailler à l'extérieur, plus souvent qu'à son tour, car son corps athlétique était un véritable régal.

Parker ne comprenait décidément rien à rien. Le harcèlement sexuel n'impliquait-il pas qu'on eût un certain pouvoir sur la « victime » ? Or elle n'en avait aucun sur Matthew.

En fait, en sa présence, c'était tout juste si elle maîtrisait ses propres membres et s'il l'avait effleurée, en ce moment précis, avec ces épaules splendides, ce torse nu et barré de muscles, elle aurait probablement coulé à pic.

Il ne la toucha pas, cependant. Au lieu de cela, effectuant un plongeon parfait, il pénétra dans l'eau et l'éclaboussa sans pitié, au passage. Il refit surface, radieux, et, comme s'il avait compris qu'il importait de dédramatiser la situation, il entreprit de l'éclabousser de plus belle.

Bien entendu, elle répliqua et, pendant une bonne dizaine de minutes, ils chahutèrent joyeusement, s'amusant à plonger et à refaire surface. Bientôt, la jeune femme s'amusait tellement qu'elle en oublia de s'extasier sur ce corps à demi nu.

L'éclairage de la piscine fonctionnait à merveille — ce qui était heureux, attendu ce qu'il lui avait coûté — et donnait à l'eau une brillance surnaturelle.

Matthew se mit à nager sous l'eau et elle se perdit dans sa contemplation. On aurait dit une gracieuse créature marine, prise dans une mer d'un bleu translucide, ses bras fendant l'eau, ses jambes puissantes provoquant des remous qui scintillaient dans son sillage, comme autant de diamants.

Natalie entreprit d'effectuer des longueurs, jusqu'à ce que les tempes lui en battent. Elle avait oublié à quel point elle aimait nager. C'était un pur ravissement.

Au bout d'un moment, retirant le ruban qui retenait ses cheveux, elle se délecta des picotements frais de ses boucles contre sa nuque, ses épaules, ses omoplates.

Descendant aussi profond que son souffle le lui permettait, elle s'efforça d'atteindre le griffon multicolore. L'espace d'un instant, sa longue chevelure flottant derrière elle, elle s'imagina sirène, dotée de nageoires bleu-vert et d'un chant envoûtant. Malheureusement, elle s'attarda un peu trop et, lorsqu'elle émergea, elle toussa bruyamment, évoquant davantage une otarie qu'un quelconque personnage mythique.

Matthew éclata de rire, avant de lui lancer une balle en mousse, qui rebondit doucement sur le haut de son crâne.

— Alors, on l'étrenne, ce toboggan ?

Natalie fit mine de ne pas l'avoir entendu. Bien que ce fût sans doute indigne d'une naïade, l'idée de grimper sur ce toboggan la plongeait à présent dans un état d'anxiété indicible. L'ayant choisi sur catalogue, elle n'avait pas bien estimé sa hauteur réelle. En théorie, 45 pieds ne lui avaient pas semblé insurmontables… En théorie… Car en pratique, le sommet en était terriblement élevé.

— Hé ! insista-il en l'attrapant par un pied. Vous ne voulez pas inaugurer votre nouveau jouet ?

— Tout à l'heure ! répondit-elle aussi gracieusement qu'elle le pouvait. Allez-y en premier, si ça vous chante !

— Je ne me permettrais pas ! C'est votre toboggan, après tout ! Celui dont vous rêvez depuis toujours ! Alors… Après vous !

Se doutait-il de la vérité ? L'éclairage projetant des ombres étranges sur leurs visages, c'était assez difficile à dire. Quoi qu'il en soit, cette angoisse était totalement déraisonnable. Surtout chez quelqu'un qui n'hésitait pas à monter sur le toit, pour redescendre ensuite par l'arbre le plus proche !

Aussi se hissa-t-elle hors du bassin et, le bruit de ses pas résonnant sur le carrelage neuf, gagna-t-elle le toboggan.

Quel dommage que ce maillot de bain n'eût pas meilleure allure ! Il était tellement vieux qu'il pendait de partout, et Natalie ne cessait de remonter son décolleté, pour s'assurer qu'il couvrait bel et bien ses avantages.

Prenant son courage à deux mains, elle commença à gravir les marches en les comptant à mi-voix. Trois, quatre, cinq… Il lui fallut en escalader dix-neuf pour arriver au sommet… De là-haut, le toboggan lui-même semblait être englouti par l'obscurité environnante. Il ne laissait plus apparaître qu'un gouffre noir entre elle et le bassin, qui brillait comme une immense vasque, remplie d'un liquide chaud, bleuté et mystérieux en diable.

Le griffon, lui, ne lui évoquait plus rien que le monstre du Loch Ness.

L'idée d'effectuer cette glissade lui répugnait de plus en plus. Et puis, il faisait froid, là-haut… Si l'eau lui avait paru aussi tiède que celle d'une baignoire, la nuit était plutôt fraîche, et elle eut soudain la chair de poule.

— Matthew ? lança-t-elle d'un ton détaché. Je ne crois pas que…

Elle se retournait pour rebrousser chemin, lorsqu'elle se heurta au torse ferme de Matthew. Il était monté derrière elle, lui aussi, pensant, de toute évidence, qu'elle allait amorcer la descente avec l'enthousiasme débordant qui la caractérisait, d'ordinaire.

— Je… J'ai changé d'avis, bredouilla-t-elle. Pardonnez-moi.

Elle avait les idées de moins en moins claires. Elle grelottait, Matthew était là, tout près d'elle, et sa sensualité débordante acheva de la déstabiliser.

— Je… Je vais passer derrière vous et…

Malheureusement, elle ne parvint pas à le contourner. La plateforme était extrêment étroite et, après avoir essayé en vain de se faufiler pendant quelques secondes, elle n'eut plus qu'une solution : se réfugier entre les bras puissants du jeune homme.

— Oh, Natalie…, murmura-t-il.

Ses mains réchauffaient agréablement sa peau humide. Elle se rapprocha encore un petit peu. Il laissa échapper un grognement et elle sentit ses doigts se crisper sur elle.

— Bon sang, Natalie…

Elle leva les yeux vers lui, les lèvres entrouvertes, les yeux suppliants, l'appelant de son corps tout entier. Toutefois, elle voulait que ce soit lui qui fasse le premier pas. Alors elle ferma les paupières, le cœur battant à se rompre, poursuivant sa supplique.

Enfin, n'y tenant sans doute plus, il se pencha vers elle et l'embrassa. Lentement, sans hésiter, avec la belle confiance d'un homme qui sait comment s'y prendre. Il effleurait ses lèvres, laissant derrière lui un léger goût de chlorine, qui se mêlait agréablement à l'odeur des roses et à une autre senteur, plus masculine, et qui était la sienne, propre.

Sentant ses genoux la lâcher, elle s'abandonna contre lui, ce qui eut pour effet d'approfondir encore leur baiser. Elle sentit d'abord l'arrondi de ses dents, puis l'intrusion voluptueuse de sa langue dans sa bouche.

Elle s'ouvrit à lui, de plus en plus avide. La tête se mit à lui tourner et…

Hélas, il s'interrompit, bien trop tôt à son goût. Puis il se détacha et il n'y eut plus que la fraîcheur de la nuit sur ses lèvres.

— Natalie, répéta-t-il d'une voix rauque, avant de déposer un dernier baiser sur sa nuque.

Elle enfouit doucement le visage contre son épaule et reprit son souffle, consciente de ce que le cœur du jeune homme battait la chamade. Son corps, quant à lui, criait d'un désir évident.

— Allez… On va la faire ensemble, cette glissade, murmura-t-il contre ses cheveux. Tu veux ?

Ensemble…

Elle hocha la tête lentement, bien qu'elle ne fût pas certaine de ce qui se passait vraiment en elle. Quelque chose de fort, un mélange de désir exacerbé et de peur larvée, montait le long de sa colonne vertébrale, lui coupant le souffle.

— Tu me fais confiance ?

De nouveau, elle acquiesça. Il la fit doucement pivoter sur elle-même, de manière à ce que son dos soit collé à son torse, puis l'aida à s'asseoir. Il était juste derrière elle, les jambes de part et d'autre de ses hanches, les bras autour de sa taille, les doigts au-dessous de ses seins.

Il resserra son étreinte et poussa en avant.

Affolée, elle commença par résister et il dut pousser un peu plus fort… Et encore plus fort.

Il n'exerçait pas une pression suffisante pour qu'elle puisse protester, et pourtant c'était assez pour que l'angoisse lui monte à la gorge. Elle redoutait à tout moment de se mettre à crier d'excitation et de terreur mêlées, dans la nuit totalement noire.

Puis, comme mû par une inspiration soudaine, il exerça une dernière poussée, et ce fut fini.

Tous deux commencèrent à glisser sur le toboggan, sous la voûte étoilée.

Ils atterrirent, corps contre corps, dans le bassin qui brillait de ses mille feux bleutés.

10.

Le lendemain matin, tout en se traitant de lâche et d'idiot, Matthew décida d'aller prendre son petit déjeuner chez Théo, au *Dîner aux Chandelles*.

A l'aube, sentant l'odeur du café fraîchement moulu qui s'échappait de la fenêtre ouverte de la cuisine, il avait subitement compris qu'il ne pourrait se résigner à s'asseoir à la table de Natalie.

Il aurait été bien incapable de lui faire la conversation en dégustant des fraises sucrées à souhait et en plantant sa fourchette en argent dans des crêpes toutes chaudes, sans devenir complètement fou.

En tout cas, cela ne lui semblait plus possible, après les événements de la nuit précédente, tant il était atterré d'avoir été si près de lui faire l'amour.

En effet, et contre toute raison, il avait bien failli la prendre là, dehors, aux yeux du monde entier, sous les rayons voilés de la lune. Là, sur les marches de la piscine, l'eau phosphorescente clapotant doucement sur leurs épaules, le griffon ancestral les observant en silence du fond du bassin.

Il était parvenu à se dominer, et cela en dépit du corps gracile de la jeune femme grelottante, qui avait bien failli le mener à sa perte.

Pourtant, lorsqu'ils étaient ressortis de la piscine, après leur folle glissade sur ce toboggan, il s'était obligé à lui souhaiter une bonne nuit, ne s'autorisant — et encore, par pur égoïsme — qu'un seul dernier baiser, aussi long que voluptueux.

Fort heureusement, elle n'avait pas essayé de le retenir. Peut-être était-elle consciente, elle aussi, qu'il aurait été dangereux de s'attarder davantage.

Matthew soupira et avala une nouvelle gorgée du café terriblement fort de Théo. Tôt ou tard, il devrait regagner le *Pavillon d'Eté*...

Pas tout de suite, cependant. Il savait déjà qu'il lui faudrait plus d'une nuit sans sommeil pour se sortir ce souvenir de l'esprit.

Cependant, s'il était venu là pour être seul avec ses pensées, il avait choisi le mauvais endroit. Avant même d'avoir été servi, il avait repéré une bonne demi-douzaine de visages familiers, dont celui du shérif, Harry Dunbar, accompagné de son adorable épouse, et celui de Parker Tremaine qui rayonnait de bonheur depuis qu'il avait ramené sa petite famille à la maison.

Voyant Théo s'avancer vers lui, une assiette fumante dans une main et la cafetière dans l'autre, Matthew s'empressa de tourner la feuille du journal étalé devant lui. Il regardait dans le vide depuis bien trop longtemps.

— La nuit a été rude ? s'enquit Théo, en le dévisageant avec curiosité. Vous avez l'air épuisé !

— Non, ça va ! affirma-t-il. Et puis ce merveilleux breuvage viendrait à bout du pire des maux, non ?

Bien que la restauratrice se fût mise à arranger les fleurs, sur la table voisine, Matthew était conscient de ce qu'elle l'observait à la dérobée.

— Ça doit être fatigant de ne pas se laisser déborder par toutes ces réparations, au *Pavillon d'Eté*...

— Ça, on peut dire que c'est un sacré pari ! renchérit-il en souriant.

— Et puis il faut se faire au mode de vie des Granville…

Matthew, qui avait grandi auprès d'une sœur cadette extrêmement curieuse, reconnut aussitôt cette technique d'inquisition, si féminine.

Théo était à l'affût d'une rumeur, si possible, romantique à souhait.

— Oh, je n'ai pas à me plaindre ! rétorqua-t-il, refusant de mordre à l'hameçon.

Théo laissa échapper un grognement énigmatique et s'éloigna. Malgré tout, elle semblait considérer qu'il était plus important de s'occuper de ses clients que d'essayer de lui extorquer la vérité.

Il ne resta pas seul bien longtemps, cependant. A son grand étonnement, à la seconde même où Théo disparut dans la cuisine, l'un des serveurs vint se poster près de lui. Malgré l'alliance qui brillait à son annulaire, il ne devait pas avoir beaucoup plus d'une vingtaine d'années.

— Bonjour, dit-il nerveusement. Vous êtes M. Quinn ? C'est bien vous qui travaillez chez Mlle Granville ?

Matthew se contenta de hocher la tête.

— Excusez-moi de vous déranger… mais j'ai entendu dire que vous donniez des conseils. Des conseils d'ordre financier… Et, le moins qu'on puisse dire, précisa-t-il en soupirant, c'est que j'en ai besoin !

Matthew reposa lentement sa tasse.

— Qui vous a dit cela ?

— Je ne me rappelle pas, bredouilla le jeune homme, alarmé. Ce doit être un de mes collègues… Les gens parlent beaucoup, dans la région. Je suis navré. J'ignorais que cela devait rester secret.

— Ce n'est pas un secret ! répliqua Matthew, en réprimant un soupir d'agacement. C'est totalement faux, voilà tout. Je travaillais dans la partie, autrefois... *Autrefois !* Plus maintenant...

— Je ne voulais pas insinuer que vous en faisiez un commerce ! Je pensais simplement que vous donniez des tuyaux, à l'occasion... Voyez-vous, ma femme aimerait vraiment que nous ayons un bébé, seulement pour l'instant, ce n'est même pas la peine d'y penser. Et puis, de toute manière, nous n'avons que cinq cents dollars de côté... Je suppose qu'on ne vous laisse pas investir des sommes aussi ridicules, si ?

— Bien sûr que si ! Ecoutez... Je ne saurais que trop vous recommander de consulter un conseiller financier. Il doit bien y en avoir un, dans une ville comme Firefly Glen !

— C'est bien là le problème ! expliqua le jeune homme en levant les yeux au ciel. Dans une ville aussi riche que celle-ci, les conseillers financiers ne traitent avec vous qu'à condition que vous disposiez d'un ou deux milliers de dollars. Nul doute qu'ils me riraient au nez...

Matthew aurait bien voulu pouvoir le contredire. En fait, il aurait fait n'importe quoi pour éloigner le jeune homme avant de se retrouver impliqué dans un autre mélodrame, à vous fendre l'âme. Malheureusement, cela ne paraissait pas possible.

Par ailleurs, il ne se souvenait que trop de son aversion, au temps de sa splendeur, lorsqu'il devait faire face à de petits épargnants, qui attendaient de lui qu'il les prenne au sérieux. A l'époque, il avait même fini par demander à sa secrétaire de les envoyer systématiquement voir des confrères, moins prestigieux. Un peu comme on se débarrasse d'un déchet, en quelque sorte...

Bon sang ! Il s'était comporté en parfait cynique !

Il vit à son badge que le serveur se prénommait David. Le pauvre David, qui avait réussi, en se privant de tout, à mettre cinq cents malheureux dollars de côté. David, qui vivait auprès d'une épouse frustrée, avait un emploi pénible et les responsabilités d'un homme, même si, en pressant sur son nez, on eût pu en tirer du lait…

Malgré lui, il s'entendit répondre :

— A votre place, David, je commencerais par investir dans une valeur sûre. Ensuite, peut-être pourriez-vous placer une petite centaine de dollars en Bourse. Je sais que ce n'est pas facile d'attendre, mais vous êtes jeune. Vous disposez de plus de temps que de liquidités. Misez sur un investissement solide et sûr !

David fit une petite moue dubitative.

— Ça va me prendre une éternité, non ?

Matthew hocha la tête. C'était le travail d'un bon conseiller financier : au lieu de dire aux gens ce qu'ils avaient envie d'entendre, il convenait de leur exposer la vérité.

— Oui. Toutefois, c'est la seule manière de jouer la sécurité. Que ça vous plaise ou non, les bébés, eux aussi, sont un investissement à long terme !

— David ! appela Théo, de l'autre bout de la salle. Tu peux venir ici une minute, s'il te plaît ?

— Aïe ! grimaça le jeune homme. Je vais me faire taper sur les doigts… Je suis désolé, monsieur Quinn. Je ne voulais pas vous importuner pendant votre petit déjeuner. Seulement… Tout le monde dit que vous vous y connaissez vraiment et j'avais réellement besoin de ces conseils.

— Tout le monde ? renchérit Matthew, les sourcils froncés.

— David McKuen ! réitéra Théo, d'un ton glacial. Tout de suite, j'ai dit !

Le jeune homme baissa la tête, bredouilla quelques remerciements et, s'empressa d'aller trouver son irascible patronne.

Matthew, qui aurait pourtant bien aimé savoir qui était ce « tout le monde », n'eut pas le cœur de le retenir plus longtemps.

La réponse lui parvint sans tarder, cependant. Le carillon se mit à tinter joyeusement, et la porte d'entrée s'ouvrit sur Suzie Strickland, resplendissante de féminité, dans un chemisier gris argenté, et une jupe-culotte assortie. Certes, elle n'en était pas encore à porter des couleurs vives, mais, de toute évidence, elle en prenait le chemin.

Apercevant Matthew, au fond de la salle, elle le gratifia d'un sourire radieux et se dirigea droit vers lui.

Il reposa ses couverts. Décidément, il ne parviendrait pas à déjeuner tranquillement, ce matin-là.

— Bonjour ! Surtout, ne vous interrompez pas pour moi ! Je ne peux pas m'attarder... Je suis juste passée vous dire à quel point je vous suis reconnaissante... Vous êtes le conseiller financier le plus fantastique de notre système solaire !

— Dois-je en conclure que vos actions ont fait des petits ? demanda-t-il, amusé.

— Un peu ! Et dès le lendemain du jour où je les ai achetées.

Elle tapa dans ses mains et laissa échapper un petit cri de ravissement.

— Et ce n'est pas tout ! Chaque action a grimpé de trois dollars. Vous vous rendez compte ? En une semaine, je me suis fait trois cents dollars !

Matthew fit un rapide calcul. Les actions en question étaient vendues environ cinquante dollars pièce.

— Attendez... Vous êtes en train de me dire que votre mise originale s'élevait à...

Elle se renversa sur sa chaise, les bras écartés, l'air extrêmement satisfait d'elle-même, de son compte en banque et probablement du monde entier.

— Eh oui ! Cinq mille dollars. J'ai acheté cent actions !

— Suzie ! s'exclama-t-il. Je vous avais pourtant recommandé de vous limiter, au départ ! Vous auriez dû commencer par investir mille dollars, puis attendre de voir comment se comportait le marché et...

— Je sais, dit-elle en battant innocemment des paupières. Seulement vous m'avez également affirmé que vos conseils ne valaient rien. De sorte que, comme vous le voyez, j'ai décidé de ne pas les suivre...

Lorsque Matthew regagna le *Pavillon d'Eté*, il aperçut la voiture de Stuart, garée dans l'allée.

Tant mieux. La présence de l'infatué jeune homme, qui désirait tant impressionner Natalie, leur éviterait des moments embarrassants, limitant leurs chances d'évoquer, en tête à tête, leur petit coup de folie de la veille.

Pourtant, il n'avait pas parcouru la moitié du chemin le séparant de la garçonnière, qu'elle l'interpella.

— Matthew ! cria-t-elle joyeusement. Matthew ! Venez vite ! Vous ne devinerez jamais ce que j'ai trouvé !

Il pivota sur lui-même, un sourire neutre aux lèvres, et salua poliment les deux amis.

Stuart se tenait sur le seuil de la cuisine, auprès de Natalie, qu'il toisait, d'un air légèrement protecteur. La jeune femme, elle, tenait dans ses bras une petite boule de poils blanche et noire, qui s'agitait dans tous les sens.

Il s'agissait d'un petit chien.

Un chien maigrelet, qui semblait un peu perdu, et dont la queue remuait incessamment, de manière presque mécanique.

— Hé !

Matthew s'avança vers eux et donna une pichenette au petit animal, qui se mit à se tortiller de plus belle, menaçant d'échapper à l'emprise de Natalie.

— Comment t'appelles-tu ?

— Rob Roy ! répondit Natalie, radieuse. C'est le chien de Théo… Il se cachait tout au fond de la propriété, au pied de la montagne. C'est merveilleux, non ?

— Tout à fait ! convint Matthew.

A plusieurs reprises, tous deux avaient évoqué la disparition du chien de Théo. Natalie avait toujours refusé d'admettre ce qui, pour Matthew, était l'évidence même : lorsqu'un animal de compagnie disparaît pendant une période aussi longue, on peut affirmer sans grand risque de se tromper qu'il a rencontré son destin.

Le bâtard ne semblait guère se soucier d'avoir causé tant d'inquiétude à son entourage. Bien qu'il fût sale et maculé de boue, il paraissait sémillant et fort peu impressionné par ses péripéties.

— Tu as prévenu Théo ?

— Nous venons de l'appeler, répondit Natalie. Elle est aux anges… Et comme elle ne peut pas quitter le restaurant à cette heure-ci, Stuart va lui ramener son chien, de ce pas.

Stuart ne semblait pas très emballé.

— Tu sais que j'ai une réunion du conseil municipal, commença-t-il, d'un ton optimiste. Maintenant que Quinn est rentré, pourquoi ne…

Indignée, Natalie le foudroya du regard.

— Certainement pas ! déclara-t-elle, en lui tendant fermement l'animal. J'ai besoin de lui, ici. Il a un millier de choses à faire. Tu tiens à ce que cette maison s'écroule sur moi, ou quoi ?

Se rendant apparemment à l'évidence, Stuart saisit docilement le chien tout crotté — sans le caresser, toutefois. Par ailleurs, il prit soin de lui maintenir la tête, de manière à ce que Rob Roy ne lui lèche pas le visage.

— Oh, Stuart ! s'esclaffa Natalie. Il veut te faire un bisou !

— Désolé de le décevoir ! rétorqua Stuart, faisant enfin preuve d'un peu de poigne.

Là-dessus, pour la première fois depuis qu'ils se connaissaient, Matthew et lui échangèrent un coup d'œil complice. Rob Roy était sans doute attachant, mais c'était un de ces roquets teigneux et toujours un mouvement, que seule une femme peut apprécier.

Natalie les accompagna, leur envoyant des baisers tant qu'ils étaient encore en vue. Toutefois, dès l'instant où la voiture de sport de Stuart eut disparu, au bas de l'allée, elle s'interrompit brutalement et se tourna vers Matthew, un sourire d'exaltation à peine contenu aux lèvres.

— Ouf ! Il est enfin parti, s'exclama-t-elle, en lui prenant la main. Suivez-moi… J'ai quelque chose d'extraordinaire à vous montrer.

Matthew hésita une seconde. La jeune femme était tellement imprévisible qu'il n'était jamais très sûr de ce qui allait lui arriver.

Aujourd'hui, par exemple, alors qu'il s'était attendu à une analyse sérieuse et peut-être douloureuse de l'issue éventuelle de leur relation, il se trouvait face à une femme-enfant enjouée, et surexcitée à l'idée de lui faire partager un secret.

— Allez, Matthew ! répéta-t-elle avec impatience. Je vous assure que ça en vaut la peine ! Voyez-vous, Rob Roy n'est pas ma seule découverte de la matinée…

Comment aurait-il pu lui résister ?

Il se résigna à la suivre.

Ils traversèrent à la hâte les jardins de l'aile Ouest de la maison, passant sous les statues décapitées, et, se dirigèrent vers l'arrière de la propriété, à l'endroit où la demeure touchait quasiment le flanc de la montagne.

Matthew n'était pas venu très souvent dans ce coin-là. La végétation y était particulièrement sauvage et hostile, et l'ombre de la montagne le rendait singulièrement frais, même en été.

Pourtant, de toute évidence, quelqu'un avait aimé s'y réfugier, autrefois. Matthew discerna les contours grossiers d'un jardin oublié, ainsi que les vestiges d'une tonnelle qui avait servi de support à une vigne vierge, et formait une voûte battue par les vents, reliant la bâtisse à la montagne.

Sans cesser de babiller, Natalie l'entraîna sous la tonnelle.

— Ce matin, je regardais par la fenêtre du boudoir vert, lorsque j'ai vu quelque chose bouger dans l'herbe... Cela m'a intriguée, je suis sortie, et j'ai aperçu Rob Roy. Le scélérat... J'ai dû lui courir après... Je ne voulais pas qu'il se perde de nouveau... Seulement, il ne s'est pas laissé attraper comme ça ! Nous avons tourné en rond un bon moment et, à plusieurs reprises, j'ai trébuché sur une de ces vieilles racines, toutes tordues. A un moment, j'ai failli tomber la tête la première... J'ai voulu me rattraper en posant la main ici et...

Ménageant ses effets, elle s'interrompit et désigna une petite plaque de cuivre, incrustée dans le flanc de la montagne. Elle représentait le dieu Bacchus ou une divinité tout aussi dodue, et avait verdi avec le temps et le manque d'entretien.

— Alors j'ai appuyé... Comme ça ! reprit-elle, avec emphase.

Baissant d'un ton, elle poursuivit avec révérence :

— Et regardez un peu ce qui s'est passé ensuite...

Matthew n'escomptait rien de bien exceptionnel. Natalie avait une forte propension à s'emballer pour trois fois rien, et elle était susceptible d'atteindre cet état d'exaltation à propos d'une découverte aussi banale que celle d'un nid de bébés moineaux.

Pourtant, ce qui se produisit ensuite le laissa sans voix.

Le granit commença par se fissurer, puis se mit à glisser lentement, comme la porte d'une chambre forte. Et, devant ses yeux incrédules, la fausse paroi s'ouvrit complètement, laissant apparaître une pièce sombre, immense, creusée dans la montagne des décennies auparavant.

— Alors ? s'enquit-elle en agitant une main devant l'ouverture. Qu'est-ce que je vous disais ? Ne s'agit-il pas de la découverte la plus étonnante que nous ayons faite, à ce jour ?

Matthew la dévisagea, toujours aussi confondu.

— Qu'est-ce que c'est que ça ? Vous ignoriez totalement l'existence de cette salle, jusqu'à présent ?

— Oui et non... De tous temps, les Granville ont laissé entendre que le *Pavillon d'Eté* regorgeait de pièces secrètes... Seulement je pensais qu'ils voulaient parler de ces petits cabinets, qu'on trouve un peu partout et qui servaient à cacher l'alcool illicite. Vous savez... Un peu comme celui que nous avons trouvé l'autre jour.

— Vous y êtes entrée ?

Elle passa la tête à l'intérieur de la salle, scruta l'obscurité, puis se tourna vers lui en fronçant le nez.

— Pour tout vous avouer... Non, dit-elle avec un sourire penaud. Je vous attendais... Non que ça me fasse peur, bien sûr... Simplement, j'ai pensé que ça vous ferait plaisir de visiter l'endroit avec moi.

— Il y a de la lumière ?

— Je ne sais pas... A tout hasard, je suis venue équipée !

Fouillant dans ses poches, elle en tira une boîte d'allumettes et deux bougies. Elle les alluma et lui en tendit une.

— Waouh ! Vous n'avez pas l'impression d'être Harry Potter ?

Matthew s'esclaffa.

— Pour être franc, j'ai plutôt l'impression d'être son fidèle faire-valoir... Vous savez, celui qui a toutes ses chances de foncer tête la première dans une énorme toile d'araignée ou de se casser une jambe, rien que pour donner l'occasion à Harry de se porter à son secours...

Elle lui prit la main, la serra fort, et tous deux contournèrent précautionneusement la porte de faux granit.

— Pour être tout à fait honnête avec vous, souffla-t-elle, je suis loin de me sentir aussi téméraire qu'Harry, au moment où je vous parle... Alors faites attention où vous mettez les pieds.

Il faisait très sombre, mais l'atmosphère était étonnamment respirable. L'air devait pénétrer dans la salle même quand la cloison était fermée.

Matthew entreprit de palper le mur, à tâtons, en espérant qu'il ne dérangerait aucune bestiole à pattes.

A son grand soulagement, ses doigts ne rencontrèrent qu'un interrupteur. Il l'actionna, et, contre toute attente, la pièce fut soudain baignée d'une lumière chaude, prodiguée par un immense lustre de cristal, qui, s'il était couvert de poussière, n'en avait pas moins une valeur inestimable.

— Bonté divine..., chuchota Natalie, visiblement estomaquée. Regardez-moi ça !

La pièce était presque aussi grande que l'un des boudoirs du *Pavillon d'Eté* et renfermait une demi-douzaine de tables longues, une petite piste de danse et un grand bar en acajou.

Chacune des tables était équipée pour les jeux d'argent les plus traditionnels, comme la roulette, le poker, le black-jack, le baccarat et le craps.

A l'arrière du bar, qui s'étirait sur toute la longueur de la salle, d'innombrables étagères étaient chargées de centaines de verres de différentes tailles, de flûtes à champagne, de ballons à cognac et d'autres, destinés à des boissons plus sophistiquées, et que même Matthew n'aurait pu nommer.

Alcool et jeu, à l'intérieur d'une cachette somptueuse, creusée dans le flanc d'une montagne... On pouvait, sans grand risque de se tromper, en déduire que l'ensemble remontait à l'époque de la Prohibition.

— Bonté divine..., répéta Natalie, incapable d'en dire davantage.

— Je ne pense pas que les divinités aient grand-chose à voir là-dedans, s'esclaffa Matthew.

Eteignant sa bougie, il s'avança vers la roulette, qu'il ébranla. Elle tournoya sur elle-même aussi facilement que si elle avait servi la veille au soir. Il restait même la petite bille d'argent, qui rebondit plusieurs fois, avant de se poser sur le rouge.

— Mademoiselle Granville, bien que je répugne à être le premier à vous le dire, il est de mon devoir de vous annoncer que vous descendez d'une lignée d'hédonistes éhontés... Il semblerait que vos ancêtres aient refusé de laisser un détail historique tel que la Prohibition les empêcher de s'enivrer et de perdre la fortune familiale...

Elle souriait, à présent, tout en effleurant du bout des doigts le feutre vert qui recouvrait la table de poker. Un jeu de cartes très alambiqué et doré sur tranche était toujours étalé en son milieu, à côté d'un petit coffret ciselé, rempli de jetons de nacre, lisses et brillants.

Elle releva la tête, un éclair malicieux dans le regard.

— Qu'est-ce qui vous fait penser que nous avons perdu ? Sachez que les Granville ont toujours été doués pour le jeu ! En fait, il y a fort à parier que mes ancêtres ont amené ici les gogos de Firefly Glen, pour les plumer comme des pigeons !

Se penchant en avant, elle souffla sur la couche de poussière qui recouvrait le jeu de cartes.

— Vous ne me croyez pas ? demanda-t-elle, en désignant le jeu d'un geste ample. Allez-y ! Tirez une carte... La plus forte remporte la mise.

Matthew s'exécuta et fit apparaître une reine médiévale, dans ses plus beaux atours. Satisfait, il leva un sourcil. La carte serait difficile à battre.

Natalie haussa les épaules avec désinvolture.

— Je ne vois pas où est le problème ! dit-elle en tirant à son tour.

En souriant de toutes ses dents, elle lui tendit l'as de pique, ornementé de fleurs minuscules et de filigranes délicats.

— Ça marche à tous les coups ! dit-elle, en toute simplicité. C'est un truc de famille !

Et, à la regarder, en ce moment précis, avec ses boucles folles, d'un autre temps, qui tombaient en cascade sur le petit T-shirt qu'elle avait elle-même décoré d'un slogan écologique, il la crut sur parole. Cette femme parvenait toujours à ses fins. Ce devait être une question de confiance... Ses convictions étaient tellement inébranlables qu'elle parvenait à les rendre vraies.

Il se demanda soudain ce que ressentirait un homme si elle décidait de croire en lui. Une telle foi avait le pouvoir de racheter un bon nombre de péchés !

— Mince ! s'écria-t-elle subitement. J'ai manqué une occasion ! J'aurais dû parier avec vous !

— Parier quoi ?

Enfonçant ses mains dans ses poches, elle se mit à réfléchir.

— Hm... Voyons... Nous n'avons pas grand choix, il faut bien l'avouer... Je sais ! J'aurais pu parier trois vitres brisées et une poignée de porte cassée.

— Bof... c'est un peu cher pour ma bourse !

— D'accord. Dans ce cas...

Elle s'interrompit un instant.

— Nous aurions pu parier un baiser !

Il la dévisagea un instant, soudain heureux d'être séparé d'elle par la table de poker.

— Dites-moi un peu comment vous pourriez déterminer qui est gagnant et qui est perdant ? s'enquit-il d'un ton léger.

Elle lui sourit d'un air un peu trop vaillant.

— Eh bien... C'est impossible. C'est ce qui est bien, dans ce genre de pari. On peut réessayer, si vous voulez ! proposa-t-elle, en lui tendant le jeu.

Matthew soutint son regard sans flancher.

— Vous venez de m'expliquer que les Granville ne perdent jamais... Alors je serais bigrement idiot de parier avec vous !

Reposant lentement le jeu, elle abandonna son sourire de façade et le fixa d'un regard vif et droit. Elle paraissait soudain très sombre et extrêmement lasse.

— Je vois... Peut-être devrions-nous parler franchement dès maintenant... Est-ce que vous essayez de me dire que vous ne voulez plus de mes baisers ?

Matthew se raidit. La conversation prenait un tour fort déplaisant.

— J'essaie surtout de vous expliquer que nous n'aurions jamais dû nous embrasser...

— Et pourquoi donc ? Surtout, ne me dites pas que vous n'en valez pas la peine parce que vous êtes un ancien repris de justice… Nous savons tous les deux que vous n'avez rien fait de mal… De même, nous savons pertinemment que ce n'est pas la vraie raison !

— D'accord, soupira-t-il.

Des raisons, il y en avait à foison.

— D'ici à quelques semaines, je m'en irai, Natalie. Et puis, ceci ne serait qu'une passade et je connais suffisamment les femmes pour savoir que vous n'êtes pas du genre à vous contenter de passades.

Natalie releva le menton, d'un air de défi.

— Il ne vous est jamais venu à l'idée que vous ne connaissiez pas aussi bien les femmes que vous le pensiez ?

— Je les connais plus que je ne le devrais, répondit-il sobrement.

— Dans ce cas, je peux vous affirmer que c'est vous-même que vous connaissez mal.

Bien qu'elle n'en soit sans doute pas consciente, elle venait de lui porter un rude coup sévère.

— C'est possible… J'en apprends un peu plus chaque jour, cependant. Et ce que je découvre ne me plaît pas toujours ! Car si je n'ai rien fait de vraiment répréhensible, poursuivit-il, les doigts crispés sur le rebord de la table, je ne me suis pas toujours conduit de manière très élégante. Pour tout vous avouer, je trouve que j'ai consacré bien trop d'années à ne penser qu'à ma petite personne, en parfait égoïste, rongé que j'étais par la cupidité.

— Je n'en crois rien.

— Vous avez tort ! répliqua-t-il en fermant les paupières. L'argent m'importait plus que tout au monde. Je ne me suis intéressé aux gens que lorsque leurs comptes en banque étaient bien garnis, quand ce n'était pas par intérêt pur et simple. J'aimais que mes compagnes du moment soient riches, elles aussi. Et de préférence, je les choisissais aussi blasées que bonnes partenaires au lit. De temps en temps, néanmoins, j'avais envie de naïveté et d'innocence. Alors, je me servais... sans hésiter une seule seconde.

— Vous vous efforcez de faire de vous un tableau aussi noir que possible ! s'écria-t-elle, d'une voix enflammée. Vous espérez me faire peur...

— Je suis honnête, voilà tout !

Matthew laissa courir son regard sur les murs défraîchis du casino improvisé. Le papier peint avait dû être blanc crème, autrefois. Aujourd'hui, il était aussi gris que de la neige fondue.

— D'une certaine manière, je suis plutôt content que tout cela se soit écroulé... Ce style de vie était tellement exaltant que je ne n'aurais jamais eu le courage de tout quitter de mon propre gré. La fatalité m'a donné cette chance... Une chance de refaire ma vie, de devenir un homme meilleur.

Il prit une longue inspiration, avant d'achever.

— Alors vous comprendrez que je ne peux commencer par me conduire aussi égoïstement que dans ma vie d'avant.

Natalie garda le silence pendant un long moment. Elle l'étudiait, son beau visage si expressif reflétant successivement une multitude d'expressions contradictoires. Matthew, quant à lui, s'efforçait de ne pas penser à l'excitation que lui aurait procurée cette mobilité faciale, pendant l'étreinte.

Finalement, il crut distinguer le sentiment attendu : la résignation.

La jeune femme laissa échapper un gros soupir. Puis, se forçant à sourire, elle s'empara de nouveau du jeu de cartes.

— Vous jouez ?

Se penchant en avant, il tira une carte au hasard. C'était le roi de trèfle, souriant avec cruauté sous sa couronne sertie de pierres précieuses.

Elle en tira une, à son tour et lui montra le deux de cœur.

Toujours souriante, sans doute parce qu'elle pensait, à tort, que cela le réconforterait, elle conclut :

— Vous avez sans doute raison, Matthew. Même les Granville ne gagnent pas à tous les coups !

11.

Le trompe-l'œil de Suzie était pratiquement terminé. En fait, elle l'avait même peaufiné plus longtemps que nécessaire, tout simplement parce qu'elle se plaisait au *Pavillon d'Eté*.

Cette demeure avait beau être un véritable capharnaüm, elle avait une âme. Et une personnalité... Contrairement à celle de Suzie, que sa mère entretenait avec une maniaquerie aussi bourgeoise qu'agaçante.

Et puis Natalie avait le don de mettre les gens à leur aise. A croire qu'elle était dotée d'un sixième sens. Quand vous souhaitiez être seule, par exemple, elle vous ignorait totalement. En revanche, il suffisait que vous vous ennuyiez ou que vous ayez faim, pour qu'elle apparaisse soudain dans l'embrasure de la porte, une assiette de sandwichs en main et une histoire fascinante à raconter.

Mieux encore, elle laissait chacun agir selon sa nature. Elle n'avait aucun *a priori* stupide sur la façon dont les gens devaient se comporter. Elle s'accommodait de tous les caractères, s'entendant indifféremment avec de vieux grincheux comme Granville Frome, de beaux garçons comme Matthew Quinn ou de véritables bonnets de nuit tels que Stuart Leith. Elle parvenait même à amadouer les adolescentes grincheuses et un peu paumées, qui ne s'étaient pas encore tout à fait trouvées, comme elle-même.

En vérité, Suzie ne voulait pas quitter le *Pavillon d'Eté*. Elle tamponna inutilement un coin de son tableau et, songeuse, se mordilla la lèvre inférieure.

Peut-être Natalie l'autoriserait-elle à assister l'expert qui devait commencer, la semaine suivante, la restauration du panneau mural qu'elle avait récemment mis à jour, dans la salle à manger.

Par la fenêtre ouverte, elle vit Mike Frome se diriger vers la maison au pas de course. A sa grande surprise, au lieu d'entrer par la porte principale, il se précipita vers la fenêtre de la bibliothèque. Et lorsqu'il l'atteignit, hors d'haleine, il paraissait soucieux.

— Salut, Suzie ! Ecoute… Je viens de recevoir un appel sur mon portable. Une de tes copines te cherche désespérément. Elle a essayé de te joindre sur la ligne fixe, et il paraît que ça ne répond pas !

Suzie ignorait totalement où se trouvaient Matthew et Natalie. Elle avait bien entendu la sonnerie du téléphone et, bien qu'elle ait remarqué que personne ne prenait l'appel, elle avait estimé que ce n'était pas son rôle de décrocher.

— Qu'est-ce qu'elle me voulait ?

— Elle a vu un de tes chiots enfermé dans une Mercedes verte, garée dans la grand-rue. D'après elle, toutes les fenêtres étaient fermées et la pauvre bête semblait souffrir de la chaleur.

Horrifiée, Suzie laissa retomber son pinceau dans sa boîte.

— Qu'est-ce que tu dis ? Il fait au moins quarante degrés, aujourd'hui !

— Je sais, répliqua Mike, les sourcils froncés. Je me demande qui a pu faire une chose pareille !

— Il faut que j'y aille, dit-elle en s'essuyant les mains sur sa chemise, sans réfléchir. Il risque d'en mourir…

Soudain, elle s'interrompit.

— Zut ! Je n'ai pas ma voiture, aujourd'hui. Ma mère m'a déposée en chemin !

Mike pencha la tête précautionneusement.

— Tu n'as pas le choix, Mike ! lança-t-elle en le foudroyant du regard. Il faut absolument que tu m'aides… Natalie n'est pas là et je ne sais pas où est passé M. Quinn.

Se penchant par la fenêtre, elle l'agrippa par le haut de son T-shirt.

— La pelouse attendra ! Tu dois m'aider !

— O.K. ! O.K. ! fit Mike en levant les deux mains. Calme-toi, bon sang ! Ma voiture est juste devant la maison.

Suzie retint son souffle tout le long du chemin qui les menait en ville. La pensée de ce malheureux chiot lui donnait des sueurs froides. Sans compter qu'elle savait exactement qui était le coupable : elle connaissait personnellement tous les gens qui lui avaient acheté ses chiens. Y compris la personne qui conduisait cette voiture.

— Ce n'est pas Mayor Millner qui conduit une Mercedes verte ? s'enquit Mike, tandis qu'ils abordaient l'orée de la petite ville.

— Si. Tu peux rouler un peu plus vite ?

— Je ne vois pas Mayor laisser un chien dans cette situation, poursuivit Mike, d'un ton perplexe. Et toi ?

Suzie ne répondit pas. Les Millner étaient un sujet tabou, entre eux. L'année précédente, Mike était sorti avec Justine Millner qui, depuis, avait été envoyée dans une autre ville. La rumeur disait qu'elle était enceinte. Or, un jour où Suzie avait trouvé Mike, affalé derrière le stade du lycée, au milieu de cannettes de bière vides, le jeune homme lui avait avoué qu'il craignait d'être le père du bébé.

Ils n'avaient jamais reparlé de cette étrange confession. Mike espérait sans doute qu'elle n'avait eu lieu que dans son imagination d'ivrogne. Mais Suzie, elle, ne l'avait pas oubliée et elle n'en détestait que davantage les Millner. Peu lui importait qu'ils fussent si riches et si engageants. A ses yeux, ils formaient une famille peu intéressante.

Et elle n'aurait jamais dû accepter de leur vendre l'un de ses chiots.

La Mercedes était garée devant un restaurant en vogue. Fort heureusement, l'un des érables qui bordait la place principale de la ville projetait un peu d'ombre sur le véhicule.

Malgré tout, songea la jeune fille avec désespoir, si son propriétaire était en train de déjeuner à l'intérieur de ce restaurant, la situation durait sans doute depuis un bon moment.

Suffisamment pour qu'un chiot, qui n'avait même pas un an, se déshydrate complètement.

Par chance, l'animal était encore en vie. La langue pendante, il se tenait sur ses pattes de derrière, égratignant faiblement la vitre, d'un air suppliant.

Mike gara rapidement sa jeep sur l'espace adjacent qui, par miracle, était libre. Suzie n'attendit même pas qu'il eût coupé le contact. Bondissant hors du véhicule, elle fonça vers la Mercedes.

— Il me faut quelque chose de lourd. Je vais briser la vitre.

Mike, qui l'avait rejointe, lui posa une main sur le bras.

— Tu es folle ! Tu sais combien ça coûte, une vitre neuve, sur ce genre de voiture ? Tu n'as même pas vérifié si la portière était verrouillée.

— Il faudrait être vraiment demeuré pour laisser une Mercedes ouverte avec tous ces achats à l'intérieur ! rétorqua-t-elle en désignant les sacs divers qui encombraient le siège arrière.

— Pas plus que pour laisser un chien dans une voiture, toutes fenêtres fermées, par un temps pareil !

Se rendant à sa raison, elle le regarda appuyer sur la poignée de la portière qui, à son grand soulagement, s'ouvrit sans difficulté. Haletant, le chiot lui tomba quasiment dans les bras.

— Mon pauvre vieux ! Ça va aller, maintenant ! Ne t'en fais pas…

Elle tapota son front moite, sans cesser de le réconforter à mi-voix.

Mike, lui, se précipita vers le restaurant. Au bout de quelques secondes, il revint avec un grand saladier, plein d'eau.

— Emporte-le dans ma voiture, et donne-lui ça ! ordonna-t-il.

Suzie alla s'asseoir à l'avant, le chien pesant lourdement sur ses genoux, le saladier à côté d'elle. Levant à peine la tête, le chiot se mit à laper, insatiablement. Tellement qu'elle commença à redouter qu'il se rendît malade.

Soudain, un cri strident la fit sursauter.

— Hé, toi ! Qu'est-ce que tu fais à mon chien ?

La rage au cœur, Suzie releva la tête pour faire face à cette idiote de Mina Millner, la sœur cadette de Justine.

Elle avait tout juste seize ans et, de toute évidence, elle avait emprunté la voiture de papa, pour aller faire quelques emplettes, avec l'argent paternel. Elle était presque aussi jolie que sa sœur, en plus stupide et en plus mesquine, si la chose était possible.

— Je suis en train de lui sauver la vie ! rétorqua farouchement Suzie. Tu as failli le tuer, espèce de crétine. On ne laisse pas un chien dans une voiture fermée par une chaleur pareille !

Mina plissa ses beaux yeux bleus.

— Ecoute-moi bien, Suzie... Mon père t'a payé ce chien une fortune. A présent, il est à moi et je peux en faire ce que je veux !

— Je ne suis pas tout à fait d'accord ! intervint Mike.

Surprise, Suzie se retourna. Elle ne l'avait pas vu monter à côté d'elle.

Mina dévisagea l'adolescent d'un regard glacial.

— Mike ! Tu ne vas tout de même pas prendre le parti de Suzie Strickland !

Suzie en eut presque mal pour lui. De toute évidence, Mina était convaincue que les gosses de riches avaient pour obligation de se serrer les coudes, surtout face à une perdante telle qu'elle-même.

— C'est le parti du chien que je prends, Mina ! fit-il en haussant les épaules. Il était dans un piteux état, tu sais !

Rouge de colère, Mina se remit à invectiver Suzie.

— Rends-le-moi tout de suite ! Il m'appartient.

Suzie s'accrocha un moment à la petite boule de poils, toute chaude. Elle avait envie de hurler à cette fille que l'animal avait un nom, sans en avoir le courage, néanmoins.

— Non... Plus maintenant.

— Si tu crois pouvoir me le voler comme ça, tu te trompes !

Mina s'échauffait à vue d'œil. Subitement, elle n'était plus jolie du tout.

— Mike ! Dis-lui de me le rendre tout de suite.

Le jeune homme considéra successivement les deux filles, puis le chien.

— Ecoute, Mina. Nous allons tous nous rendre chez le shérif Dunbar. Le commissariat est à cent mètres d'ici. Peut-être pourra-t-il nous dire ce qu'il convient de faire, dans un cas pareil. Un cas de maltraitance d'animal, je veux dire ! précisa-t-il en soutenant le regard de l'irascible blondinette.

Choquée, celle-ci émit un étrange bruit de gorge. Elle foudroya Mike du regard et, si elle ne prononça pas le mot « traître », ce fut tout comme.

Après avoir pris plusieurs inspirations saccadées, et toujours aussi impuissante, elle rebroussa chemin, remonta dans la voiture paternelle, en claqua la portière et démarra en trombe.

Suzie était pantelante et avait momentanément perdu l'usage de la parole.

Au bout d'un moment, Mike se pencha au-dessus d'elle pour refermer la portière du passager. Il tapota le crâne du chiot puis, remontant légèrement le bras, écarta une mèche de cheveux de la joue écarlate de Suzie.

— Ne t'inquiète pas, dit-il doucement. Il s'en sortira !

— Il a un nom, dit-elle stupidement.

Pourquoi si tard ? Mina n'était plus là pour l'entendre...

Et brusquement, sans prévenir, un gémissement franchit ses lèvres tremblantes.

— Allons, répéta Mike, voyant les larmes se mettre à couler. Viens là...

Elle n'eut pas la force de résister. Il lui avait fallu tout son courage pour affronter Mina Millner, et elle se sentait totalement vidée.

Alors elle s'abandonna sur son épaule, le chiot continuant de haleter, entre eux.

— Je sais, chuchota-t-il. Vas-y. Pleure... Ça te fera du bien.

Elle s'exécuta. Si on lui avait dit, un mois auparavant, qu'elle pleurerait un jour toutes les larmes de son corps à l'arrière de la jeep d'un garçon tel que Mike, elle aurait ri aux éclats.

Pourtant, c'était exactement ce qu'elle faisait. Et elle ne se sentait ni ridicule ni gênée. Tout ce qu'elle éprouvait était un soulagement intense.

Ce qui était étonnant, si l'on considérait ce que peuvent vous faire ces gosses de riches, quand on leur donne le bâton pour vous battre...

Cette semaine-là, Matthew avança notablement dans ses travaux de réparation de la toiture. Il commençait tôt le matin et travaillait d'arrache-pied, jusqu'à ce que la nuit tombante le forçât à s'interrompre.

Il s'attaquait alors aux menus travaux, à l'intérieur de la maison, ne s'arrêtant bien souvent qu'après minuit.

Il avait conscience de lutter contre le calendrier. Il ne lui restait plus que quelques semaines à passer au *Pavillon d'Eté* et il voulait en faire autant qu'il était humainement possible, afin de ne pas se réveiller au beau milieu de la nuit, d'ici à quelques mois, en se demandant si Natalie ne s'était pas cassé une jambe en descendant un escalier vermoulu, ou n'avait pas mis le feu à la maison, en actionnant un interrupteur défectueux.

Il avait déjà le sentiment d'avoir veillé plus souvent qu'à son tour, songeant à l'odeur florale qui émanait de la jeune femme lorsqu'elle ressortait de sa serre ou à sa façon de plisser le nez, pour masquer son embarras.

A d'autres moments, il pensait au trésor qu'elle lui avait offert, et se vilipendait d'avoir refusé aussi brutalement.

Avec la gentillesse qui la caractérisait, Natalie avait accepté sa décision sans broncher. Elle s'efforçait même de faciliter leurs rapports. Elle travaillait dur à passer à une relation « amicale », évitant soigneusement tout contact physique, comme ces affleurements de la main, ces étreintes fraternelles impulsives et ces coups de genou taquins, dont elle avait, jusqu'alors, parsemé leurs journées.

Bien entendu, elle ignorait que, depuis le départ, Matthew vivait pour ces petites marques d'intimité. Elle ne pouvait donc pas savoir qu'en les éliminant, elle le frustrait, et menaçait de venir à bout de son endurance.

Il avait beaucoup appris sur l'endurance, ces trois dernières années. Pendant son incarcération, il avait compris que l'être humain est capable de tout supporter ou presque, lorsque c'est absolument nécessaire.

Toutefois, il passait des heures, allongé sur ce lit aux ciselures si sensuelles, à contempler fixement le sommet de la chaîne de montagnes, au loin, en songeant que la situation était tout à fait différente : il n'était plus en prison. C'était presque pire.

Cette fois, il détenait la clé de sa cellule et il s'interdisait de l'utiliser.

Si Natalie souffrait de leur décision, elle n'en montrait rien. En apparence, elle était aussi joyeuse qu'à l'ordinaire et continuait de le traiter comme un roi. Le dimanche matin, pendant l'excellent petit déjeuner, qu'elle avait concocté pieds nus, chantant à tue-tête et battant la mesure avec sa spatule, elle lui annonça qu'elle avait décidé de donner une grande fête dans le casino tout récemment découvert.

— Attendez, je ne vous ai pas tout révélé ! dit-elle en mâchonnant joyeusement un grain de raisin. Figurez-vous que Granville et Ward connaissaient l'existence de cette salle de jeu. Il semble que mon grand-père y ait encore organisé des parties de poker il y a huit ou dix ans !

Revenant vers lui, elle s'assit sur le rebord de la table.

— Je me demande comment ils ont pu garder un tel secret ! Et surtout pour quelle raison, dit-elle en balançant négligemment ses jambes nues et hâlées. A croire qu'ils se sont pris pour des acolytes d'Al Capone, poursuivis sans relâche par Eliott Ness !

Plutôt que d'épiloguer sur les genoux de la jeune femme, à quelques centimètres de lui seulement, Matthew préféra se concentrer sur la question de ces vieillards exubérants.

— C'était probablement là tout le charme… Ils ont dû adorer ce côté clandestin. Comme les grands enfants qu'ils sont !

— Ce doit être ça ! Quoi qu'il en soit, après concertation, les membres de la Fondation pour la Restauration des Monuments et Sites Historiques et moi-même avons décidé de nettoyer le casino du sol au plafond et d'y donner une fête somptueuse, sur le thème de la Prohibition. Ce sera une soirée dansante et nous organiserons toutes sortes de jeux d'argent, en toute légalité, car toutes les sommes gagnées seront reversées à une œuvre de bienfaisance.

— Ah bon ? Eh bien, j'espère que l'œuvre de bienfaisance en question s'appelle la Fondation pour la sauvegarde du *Pavillon d'Eté* ! Parce que c'est encore l'association la plus nécessiteuse que je connaisse…

— Bien sûr que non, idiot !

Elle commença à lui donner de petits coups de pied taquins. Toutefois, se souvenant de leur décision, elle se reprit rapidement.

— Nous avons décidé de travailler tous ensemble et de faire participer les invités, de manière à ce que je n'aie pas à payer de ma poche. Les bénéfices seront versés à La fondation pour la Sauvegarde du Lac Llewellyn, créée par Ward Winters, l'année dernière.

— Même si cela ne vous coûte pas en argent, cela vous coûtera en temps… Je vous connais, Natalie ! Vous allez vous consacrer entièrement à cette soirée, au détriment de vos affaires personnelles.

— Ce n'est pas bien grave ! répondit-elle d'un ton léger. Chacun a ses petits soucis, dans la vie, et si nous vivions tous dans notre bulle, en nous concentrant uniquement sur nous-mêmes, le monde ne tournerait pas rond ! D'accord, mon toit fuit par tous les bouts. Mais cela ne m'empêche pas d'adorer cette ville et de vouloir participer à la vie collective !

Elle avait raison. Les gens qui ne pensaient qu'à eux-mêmes menaient des existences plutôt tristounettes. Il en avait été la preuve vivante.

— Et quelle menace pèse sur le lac Llewellyn, au juste ? Une invasion d'ouaouarons ? Un empoisonnement par cannettes de bière vides ? De toute manière, ajouta-t-il en grimaçant, ce ne peut pas être une cause aussi désespérée que la décadence latente et la rouille persistante qui prennent le pas sur cette demeure !

Natalie le considéra un instant, puis un sourire radieux se forma sur ses lèvres.

— Allons, Matthew ! Reconnaissez plutôt que vous êtes vexé d'avoir perdu la guerre contre l'installation électrique de la chambre Bleue !

— Euh... Si vous permettez, rectifia-t-il d'une voix sombre, c'est une bataille que j'ai perdue. Pas la guerre !

— Allez ! Oubliez tout cela pour le moment ! Je veux que vous veniez m'aider à organiser cette soirée. Ça vous changera les idées.

— Vous êtes sûre ? Et pendant que nous rédigerons les invitations, qui va s'occuper de toutes ces fissures ?

— Le Père Noël ! lança-t-elle gaiement. Comme il l'a fait, ces cinquante dernières années !

Sur ces mots, elle jeta en l'air un nouveau grain de raisin et ouvrit la bouche pour le rattraper.

Natalie et Suzie fouillaient le grenier depuis plus d'une heure et elles n'avaient toujours pas trouvé de robe de soirée adéquate pour Natalie.

Suzie, bien entendu, porterait la robe de satin rouge. La décision n'avait pas été bien difficile à prendre, tellement elle la mettait en valeur.

En revanche, et bien qu'elle eût essayé une bonne dizaine de tenues de soirée, Natalie ne parvenait à fixer son choix sur aucune d'entre elles.

Elle rejeta un fourreau bleu turquoise et soupira tristement.

— Non. Je veux être à mon avantage !

— Tu l'étais ! soupira Suzie. Dans la précédente aussi, d'ailleurs ! Qu'est-ce que tu as, aujourd'hui ?

Les mâchoires serrées, Natalie tira une nouvelle toilette du coffre. Orange… C'était hors de question.

— Je n'ai absolument rien ! Seulement, il est de la plus haute importance que je porte la robe parfaite, pour cette soirée.

— Tu peux m'expliquer pourquoi ? Tu as invité la Brigade de la Mode ?

Ignorant sa jeune amie, Natalie fouilla le coffre, plus en profondeur. Bon sang… En des siècles d'histoire familiale, n'y avait-il donc pas eu une seule femme aux goûts raffinés ? Certes, elle devait reconnaître que si les générations futures allaient fouiller dans sa garde-robe à elle, à la recherche de vêtements fabuleux, elles seraient fort déçues. Natalie possédait, en tout et pour tout, une robe encore mettable — et pas des plus remarquables. Lorsqu'elle la portait, elle ressemblait à la subalterne d'un obscur gratte-papier…

Elle tira de la malle une robe jaune à sequins, qui lui parut envisageable. Peut-être irait-elle bien, avec ses cheveux blonds… S'approchant du miroir, elle la tint devant elle.

Encore raté… Cette couleur donnait à son teint la tonalité du chanvre humide.

Suzie l'observait d'un air pensif. Ces derniers temps, l'adolescente se maquillait plus discrètement. Elle avait également coupé les extrémités violettes de ses cheveux et, bien qu'elle conserve sa personnalité et toute son agressivité naturelle, elle n'était plus aussi effrayante.

En fait, elle avait dorénavant l'air d'une jeune fille plutôt bien dans sa peau.

« Tant mieux pour toi, ma grande ! » songea Natalie. A son âge, rares étaient ceux qui pouvaient en dire autant.

— Oh ! Je sais ! s'exclama subitement l'adolescente. Tu es amoureuse... C'est pour cela que tu nous fais toute une histoire, à propos de cette robe... Tu veux attirer son attention dans une tenue renversante, de manière à ce qu'il comprenne ce qu'il rate !

Natalie fronça le nez.

— Je ne dirais pas cela aussi crûment, cependant... C'est quelque chose dans ce goût-là, répondit-elle en exhumant du fond de la malle une robe blanche, toute simple, ornementée d'une ceinture de brillants.

Suzie laissa échapper un bruit de gorge réprobateur.

— Je ne devrais peut-être pas te dire une chose pareille, Natalie, seulement je ne suis pas certaine que ce type en vaille la peine... S'il te connaît et qu'il ne s'intéresse pas à toi... Tu es sûre qu'il n'est pas homosexuel ?

Natalie partit d'un grand rire.

— Sûrement pas !

— Dans ce cas, c'est un abruti, complètement superficiel. Ce qu'il devrait voir, c'est ta personnalité, et non la manière dont tu es vêtue. Même dans ces vieux shorts tout passés que tu sembles tant apprécier...

Natalie se retourna et lui fit les gros yeux, mais Suzie poursuivit sa diatribe, sans se démonter.

— Sérieusement ! Que veux-tu faire d'un homme que tu dois attirer par de tels artifices ?

Natalie examina son reflet, dans le miroir. Hm... Peut-être cette robe blanche ferait-elle l'affaire. Le blanc était décidément la seule couleur qui lui allait vraiment.

— Ce n'est pas cela, dit-elle, sans se retourner. Je sais qu'il s'intéresse à moi. Et si je veux une robe renversante, c'est pour faire voler en éclats le mur qui nous sépare. Un mur aussi frustrant qu'élevé... Un mur de noblesse d'esprit mal placée.

— De la noblesse d'esprit ? répéta Suzie, perplexe.

Son visage se fendit d'un sourire malicieux.

— Ça y est ! J'ai trouvé ! Tu en pinces pour M. Quinn... Oui... Je dois dire qu'il est plutôt doué, question noblesse d'âme !

Natalie se figea et la dévisagea fixement.

— Qu'est-ce que tu en sais ?

— Non ! Attends, Natalie ! Ce n'est pas ce que tu crois ! En fait, j'ai essayé de lui soutirer des conseils sur des investissements, et je me suis heurtée au mur dont tu parlais tout à l'heure. J'en ai encore des bleus partout !

— Moi aussi, soupira Natalie.

Elle se balançait d'un pied sur l'autre, essayant en vain de faire scintiller la ceinture. Non... Cette robe-là non plus ne ferait pas l'affaire. Elle la faisait ressembler à une vestale, ce qui était l'inverse de l'effet désiré.

Découragée, elle la laissa tomber sur la pile de vêtements rejetés.

— J'abandonne, dit-elle d'un ton las. Je vais essayer de l'enivrer, voilà tout.

Matthew savait que Natalie souhaitait qu'il assiste à cette fameuse soirée.

Il savait aussi que ce n'était pas sa place. Quel qu'ait été son statut social, dans son ancienne vie, il n'était plus, à présent, que l'homme à tout faire. Il était l'employé, l'ouvrier en bleu de travail crasseux, dont on aurait attendu, dans d'autres circonstances, qu'il utilise l'entrée de service et évite de regarder ses supérieurs, droit dans les yeux.

Il n'était, de toute évidence, pas venu à l'idée de la jeune femme qu'il puisse éprouver de tels sentiments.

Elle lui demandait son avis sur tout, de la marque de gin qu'ils devaient acheter — « Jusqu'où je peux aller, à votre avis, dans l'alcool bon marché, sans choquer les plus snobs ? » —, à la musique qu'il était bon de passer : « Il faut qu'elle soit à la fois sexy et suffisamment légère pour qu'ils parient tous comme des fous ! »

Petit à petit, grâce à ses soins attentifs, le casino recouvrerait son panache d'antan. La Fondation pour la restauration des monuments historiques lui avait envoyé une équipe, chargée de nettoyer l'argenterie, les cuivres et les verres de cristal, et tout le mobilier commençait à resplendir comme un sou neuf.

Les murs furent lessivés et le magnifique comptoir de bois ciré, jusqu'à ce qu'on puisse se mirer dedans.

La roulette fut ensuite calibrée, et le feutre vert recouvrant les tables de jeu fut changé, afin que les cartes n'accrochent pas.

Natalie travailla plus dur que tout le monde, dans des jeans et des T-shirts qui devaient être aussi vieux que le casino, les cheveux retenus par un bandana bleu passé.

Pendant une semaine entière, elle déambula, couverte de poussière, de cire ou de colle. Et, durant les pauses, elle s'absorbait dans un livre emprunté à la bibliothèque, et intitulé : *100 Nouveaux jeux d'argent : règles et usages.*

— Comme ça, il n'y aura pas de tricherie ! expliqua-t-elle, en fronçant joyeusement le nez.

Deux jours avant la soirée, Matthew trouva un smoking accroché dans sa chambre. Terriblement élégant et tout juste sorti de chez le teinturier, il était encore emballé dans sa housse plastique.

« Pour la soirée. Ce costume appartenait à Théodore Granville, mon grand-oncle, dont on dit qu'il était un sacré don Juan. Cela dit, c'est peut-être une figure de rhétorique », disait le billet agrafé au cintre.

Matthew contempla cette écriture si particulière et sourit en repensant au jour où il avait cru qu'il s'agissait de celle d'une vieille dame.

Il partit aussitôt à la recherche de Natalie. Il devait lui expliquer pourquoi il ne pouvait porter ce costume. Et pourquoi, bien qu'il espérât pour elle que la soirée serait une réussite, il n'avait pas l'intention d'y participer.

Il se dirigea directement vers le casino. C'était l'endroit où la jeune femme se trouvait le plus souvent, ces derniers temps.

La porte secrète était grande ouverte, laissant pénétrer les senteurs parfumées de l'été et chassant toute odeur de renfermé. Il jeta un coup d'œil à l'intérieur et la trouva là, agenouillée dans un carré de lumière, ses boucles dorées rebondissant sur son dos, tandis qu'elle cirait le magnifique parquet de bois en plaisantant avec l'équipe de nettoyage, qui s'affairait auprès d'elle.

Matthew se tint sur le seuil un long moment et l'observa, pour le plaisir, pour s'imprégner de sa vitalité sans fards et de son entrain naturel, de son énergie vibrante et de son absence complète d'affectation.

Elle était magnifique. Il ne pouvait en détacher les yeux, bien que cela fît monter en lui le désir qu'il s'était tant attaché à refouler.

Il savait que, toute sa vie, il la verrait ainsi, en pensée. Radieuse et badinant dans ce petit carré de lumière.

Et soudain, oubliant toutes ses réticences, il décida d'assister à sa soirée.

Si une héritière des Granville était capable de récurer le plancher avec une telle bonne humeur, l'homme à tout faire qu'il était pouvait bien lui faire plaisir, en endossant ce smoking d'emprunt pour aller danser sous les multiples ampoules du lustre de cristal.

Du moins jusqu'au douzième coup de minuit !

12.

Le soir de la fête, le temps fut aussi clément que cela se pouvait dans la région des Adirondacks.

Un cortège de nuages argentés passait lentement devant la lune blafarde. Au loin, les lucioles scintillaient, telle une bande de lutins portant des flambeaux. Le doux murmure d'une brise tiède et délicatement parfumée vous poussait à vous retourner au passage, pensant qu'une fée venait de vous effleurer l'épaule.

Quant au *Pavillon d'Eté,* il était, une fois de plus, le roi de cette nuit enchanteresse. Les rayons de la lune masquaient bien des défauts et, ses imperfections ainsi dissimulées, la bâtisse s'élevait, à flanc de montagne, avec une assurance renouvelée.

Matthew, qui se tenait au bas de l'allée, eut l'impression de voir la bâtisse pour la première fois de sa vie. Des flots de lumière s'en échappant, la noble façade avait pris une teinte cuivrée, dans l'obscurité, et le jeune homme comprit soudain qu'on fût prêt à tout pour la préserver.

— Matthew ?

Natalie l'avait envoyé ouvrir le portail en fer forgé, pendant qu'elle allait enfiler sa tenue de soirée. Il était parti depuis un bon moment, s'était laissé distraire par la douceur ambiante, et elle devait se demander ce qui le retenait.

— Je suis là ! lança-t-il. Je remonte tout de suite !

Mais, tandis qu'il gravissait la pente menant à la maison, il entendit de légers bruits de pas courir vers lui et sourit à part lui.

Natalie était tout bonnement incapable d'attendre.

Il cherchait une plaisanterie appropriée, pour ironiser sur cette impatience chronique, lorsqu'elle lui apparut… rendant toute parole futile.

Jamais il n'avait rien vu d'aussi beau que cette jeune femme.

Elle portait une robe à l'étoffe soyeuse, barrée de fils métalliques jaune pâle, bronze et or. Le vêtement lui enserrait la poitrine, épousait son tour de taille puis tombait, luxuriant, jusqu'à ses pieds, en un festival de nuances topaze.

Ses cheveux pendaient sur ses épaules, naturellement. Ils étaient dépourvus de laque ou de gel, comme c'était pourtant, et il le déplorait, la mode. Par contraste, sa chevelure paraissait soyeuse, ne demandant qu'à être caressée. Et lorsqu'elle agitait la tête, ses boucles brillaient de mille feux, cuivre et or brûlé.

On aurait dit une petite flamme, dansant dans l'obscurité.

Et, pauvre de lui, c'était son cœur qu'elle venait d'enflammer.

Elle tournoya sur elle-même, tel un feu d'artifice explosant sous la lune.

— Alors ? Qu'en pensez-vous ? Ça vous plaît ?

— Vous êtes magnifique. Vous ressemblez…

A court de mots, le jeune homme regretta de ne pouvoir la prendre dans ses bras pour lui montrer ce qu'il éprouvait. La mâchoire serrée, il décida de recourir à la litote.

— Vous n'êtes pas mal du tout…

Elle lui sourit, radieuse.

— Vous non plus ! Ce costume vous va à merveille, non ? demanda-t-elle en faisant courir ses mains sur ses épaules. Vous voulez que je vous dise, monsieur Quinn ? A mon avis, l'oncle Théodore aurait été un peu envieux !

Matthew ne répondit rien. Si elle ne retirait pas ses mains immédiatement, il risquait de perdre le peu de sang-froid qui lui restait.

— Bien ! reprit-elle, percevant le flottement. Nous ferions mieux de nous dépêcher... Les invités vont commencer à arriver et je ne trouve plus mes chaussures. Regardez !

Soulevant le bas de sa robe, elle exhiba ses pieds nus.

— Je crois que je sais où elles sont, répondit-il, incapable de réprimer un petit rire. Ce sont des mules jaune pâle ? En cuir ?

Elle acquiesça énergiquement.

— En chevreau, oui. Elles m'ont coûté une petite fortune, seulement c'est le seul genre de souliers qui ne me fait pas mal aux pieds. Vous savez à quel point je déteste me chausser ! ajouta-t-elle, en fronçant le nez.

— Oui, répondit-il sobrement.

Il espérait qu'elle n'avait pas payé ces mules trop cher, cependant : quoi qu'il arrive, avant minuit, elle les aurait retirées.

— Il me semble bien qu'elles sont aux pieds du gnome, devant la porte de la cuisine. Vous savez... Celui qui se tient sur la tête !

Elle frappa joyeusement dans ses mains.

— Ah oui, c'est vrai ! J'étais tellement chargée que j'ai dû me débarrasser des chaussures, le temps d'ouvrir la porte. Alors quand j'ai vu ces deux pieds, là, devant moi, je n'ai pas hésité une seconde !

— C'est évident ! répondit-il poliment.

Surprenant son regard, la jeune femme se mit à rire. Elle avait compris son amusement et ne s'en offusquait pas le moins du monde.

Elle lui prit le bras et ils se mirent en route.

— Ce n'est pas gentil de se moquer des personnes défavorisées par la nature, commença-t-elle, les sourcils froncés. Je suis une Granville et je n'y peux rien ! A propos… Si jamais je commence à me vanter désagréablement d'avoir plumé tous mes voisins au jeu, ce soir, surtout, emmenez-moi prendre l'air, le temps que je me calme… Dans la famille, nous n'avons jamais eu le triomphe modeste et j'aimerais bien qu'il me reste quelques amis, après cette soirée !

— Ah bon ? Et moi qui pensais que vous aviez enfin accepté l'idée que les Granville ne gagnent pas à tous les coups !

Elle leva brièvement les yeux vers lui, puis se tourna sereinement vers la lune.

— Oh ! Vous parlez de l'autre soir, dit-elle d'un ton neutre. Seulement aujourd'hui, ce n'est pas pareil… Le but des Granville est de gagner… Et de gagner gros !

Tout était absolument parfait. Natalie aurait voulu crier sa joie, se débarrasser de ces mules ridicules et danser d'allégresse sur le bar d'acajou lustré. Dans ses rêves les plus fous, elle n'aurait pu imaginer une soirée aussi réussie que celle-ci.

Le plafond était couvert de ballons en hélium de toutes les couleurs, des cotillons descendaient du lustre, chatouillant les narines des invités et ajoutant à l'excitation ambiante.

Le juke-box laissait échapper des chansons des années vingt, et Eddie Cantor ou Marlène Dietrich donnaient une touche raffinée à l'ensemble.

Tous les invités étaient venus. La cause du lac Llewellyn, menacé par les promoteurs immobiliers, était extrêmement populaire et, de surcroît, chacun brûlait d'envie de voir le fameux casino secret.

Le conseil municipal lui ayant accordé la permission d'organiser cette soirée de bienfaisance à partir de jeux d'argent, elle avait offert à chacun de ses membres le privilège de présider aux tables de jeu.

Mayor Millner, le seul à avoir refusé de se costumer, régnait sur la roulette. Griffin Cahill, fidèle à sa réputation de play-boy, était magnifique, dans un blazer rayé qu'il était le seul à pouvoir porter sans crainte du ridicule. Comme il était également le seul à pouvoir expliquer clairement les règles du baccarat, il hérita de cette table-là. Stuart, dans un manteau de fourrure qui lui allait fort bien, mais dans lequel il risquait d'étouffer, d'ici peu, choisit le black-jack. Quant à Crusty Baxter, il exigea de tenir la table de poker, qui était, selon lui, le seul jeu qui ne fût réservé ni aux mauviettes, ni aux super héros.

Pour l'instant, toutefois, cette table semblait réservée aux soiffards. Boxer Barnes, qui s'enivrait immanquablement tous les vendredis soir, s'était approprié une chaise, et cela bien qu'il perdît partie sur partie. Comme d'habitude, il faudrait le reconduire chez lui, cependant, le vieil homme avait été un fidèle ami de son grand-père et Natalie n'avait pas envisagé une seule seconde de le tenir à l'écart.

Le bar était tenu de main de maître par Granville et Ward, qui donnaient un spectacle éblouissant. Les deux barbons manipulaient verres et bouteilles comme des serveurs de Vaudeville, et ces dames, en petites robes garçonnes à franges, faisaient la queue, prêtes à payer n'importe quelle somme, en échange d'un verre et d'un peu d'attention.

Suzie était arrivée légèrement en retard, visiblement très nerveuse et belle comme une princesse, dans sa robe de satin rouge.

Natalie ne put s'empêcher de rire en voyant la tête de Mike Frome, lorsqu'elle lui apparut. Le pauvre garçon faillit en tomber à la renverse. De toute évidence, ses hormones le travaillaient de manière chronique, et Suzie venait de déclencher une crise aiguë.

Les deux amies échangèrent un sourire complice, et Suzie fut immédiatement entraînée sur la piste par un autre adolescent. Au moment de décider quels jeunes Glennois inviter, elle avait opté pour la bande des artistes plutôt que pour celle des sportifs.

Ça ne ferait pas de mal à Mike que de voir l'effet que ça faisait, d'être l'intrus, pour une fois !

Et, pour couronner le tout, Matthew semblait s'amuser, lui aussi. Il ne pariait pas, bien évidemment. Elle avait eu beau réfléchir, elle n'avait trouvé aucun moyen de lui proposer des jetons sans risquer de l'offenser. Aussi avait-elle fini par abandonner cette idée.

En revanche, elle l'avait présenté à Parker et Sarah, à Griffin et Heather, à Mary Brady et à une dizaine d'autres personnes, toutes aussi insouciantes et chaleureuses que leurs tenues des Années Folles.

Natalie était très fière de ses voisins et elle fut ravie de constater que Matthew semblait se plaire en leur compagnie.

En ce moment même, il conversait avec un petit groupe d'hommes et semblait parfaitement à l'aise.

Fort heureusement, il n'y avait que très peu de véritables snobs, à Firefly Glen. Et si elle se méfiait vaguement de Mayor Millner, la roulette l'occupait pleinement. Quant à l'exaspérante Eslpeth Grant, elle était bien trop excitée par la découverte du casino pour songer à faire des histoires.

Et puis Bourke Waitely, un autre modèle du genre, lorsqu'il s'agissait de se montrer grossièrement snob, n'était pas encore là. Avec un peu de chance, il déciderait peut-être de rester chez lui, pour compter sa fortune en compagnie de son épouse.

D'autant, songea-t-elle en écoutant Matthew échanger des souvenirs footballistiques avec Parker et Reed Fairmont, le vétérinaire local, qu'elle ne voyait pas qui pourrait rudoyer son homme à tout faire !

C'était indubitablement lui, l'homme le plus élégant de toute l'assemblée. Et ce n'était pas seulement dû au smoking de son grand-oncle ! Matthew ne se départait jamais d'une certaine classe, même en jean ou, elle l'aurait parié, nu comme un ver.

A cette pensée, elle songea qu'il était grand temps qu'il la fasse danser. Se rapprochant du groupe, elle tapota sur le bras du jeune homme.

— Voici ma chanson préférée, dit-elle poliment. Je pense qu'on devrait m'inviter à danser. Pas vous ?

— *Bye, bye, Blackbird* ? demanda Parker d'un ton sceptique. Cette chanson a été écrite avant même que tes grands-parents ne viennent au monde, Nat ! Comment espères-tu nous faire croire…

— Mon cher monsieur Tremaine, coupa-t-elle, auriez-vous l'extrême amabilité de bien vouloir vous taire ?

Amusés, les trois hommes lui sourirent et Matthew, lui prenant la main, l'entraîna jusqu'à la piste de danse.

Parker n'avait pas la science infuse et Natalie adora la chanson. C'était un slow, rendu poignant par des solos de saxophone. Il ne lui restait plus qu'à espérer qu'il s'agisse également de la chanson la plus longue du monde.

Matthew la serrait contre lui, d'un bras léger.

Elle ferma les paupières en soupirant, sentant son corps bouger contre le sien, écoutant les battements réguliers de son cœur. Puis elle frotta sa joue sur le tissu frais de son smoking.

— Alors, dites-moi la vérité, murmura-t-il.

Son menton était brûlant, contre ses cheveux, et il parlait d'une voix douce.

— C'est vraiment votre morceau préféré ?

— Oui, monsieur !

Levant les yeux vers lui, elle lui sourit avec tendresse.

— Du moins, à présent !

La dernière fois que Matthew s'était senti aussi heureux, c'était juste avant que la police vienne l'arrêter. C'est pourquoi il savait que quelque chose de terrible allait se produire, ce soir.

Il était, purement et simplement, en train de tenter le diable. De quel droit tenait-il ainsi Natalie dans ses bras ? De quel droit se sentait-il aussi gratifié que cette jeune femme l'eût choisi, alors qu'elle aurait pu avoir n'importe quel homme présent ici ce soir, du plus jeune au plus âgé ? Et de quel droit éprouvait-il cette satisfaction gratuite, ce sentiment qu'elle avait tout à fait sa place, là, contre son cœur ?

Les gens commençaient à les regarder avec curiosité. Ils se tenaient autour d'eux, dans leurs costumes des Années Folles, pariant, buvant et chantant sur l'air de « *Bye, bye, Blackbird* », qu'ils semblaient tous connaître par cœur. Pourtant, de temps en temps, ils jetaient un coup d'œil furtif dans leur direction, avant de se regarder d'un air entendu, les sourcils soulevés, spéculant en silence.

La seule personne inconsciente de la scène qui se jouait devant lui était Boxer Barnes.

Matthew se remémora le matin de son arrivée à Firefly Glen. Parker Tremaine s'apprêtait alors à raccompagner Boxer chez lui, après une nuit passée à dessoûler au commissariat.

Le moins qu'on puisse dire était que le vieux milliardaire avait un faible pour l'alcool : il était arrivé à la soirée dans un véritable smoking d'époque, dont la cravate était déjà dénouée, et titubant. A présent, il était tellement ivre que sa main retombait toute seule, exposant son jeu. Inutile de préciser qu'il perdait régulièrement.

Aussi Boxer se fichait-il éperdument de savoir qui dansait avec la maîtresse de maison. Cependant, il était bien le seul et Matthew sentait l'intérêt grandir derrière les regards avides des invités. C'est tout juste s'il n'entendait pas leurs commentaires.

« Regardez-moi ça ! Peut-on m'expliquer pourquoi notre hôtesse est monopolisée par son homme à tout faire ? »

Il prit le parti de les ignorer, bien qu'il sût que c'était exactement le genre de réaction qui l'avait mené à sa perte précédemment. Il n'est jamais sage de négliger les réalités de la vie bien longtemps, même si elles ne sont pas toujours plaisantes. D'une manière ou d'une autre, elles finissent toujours par revenir en force.

Néanmoins, il ferma les yeux et fit de son mieux pour oublier ses appréhensions. Il voulait être aveugle, pour quelques minutes encore.

Lorsque la chanson prit fin, laissant place à un autre morceau, il baissa les yeux sur sa partenaire, et la considéra d'un air étonné.

— Vous n'allez pas y croire… Voilà ma chanson préférée, à présent !

Les yeux de Natalie se mirent à briller.

— Et la suivante aussi. Et celle qui passera ensuite… Les gens vont jaser ! dit-il.

— C'est certain. Et nous les laisserons jaser !

Bon sang ! Il n'y avait pas deux femmes comme elle, au monde ! Il ne pouvait décidément pas la laisser partir avant que ce soit absolument indispensable.

La reprenant dans ses bras, il défia le destin de lui jouer un de ses mauvais tours.

Et le destin lui accorda exactement trois petites chansons.

Les premiers signes commencèrent devant le bar. Une voix s'élevait un peu plus haut que les autres. Une voix stridente de femme qui vociférait, et que quelques personnes essayèrent, en vain, de faire taire.

Puis il y eut une vague de protestations et un mouvement de foule. D'autres voix dissonantes se firent entendre, couvrant presque la musique.

Les invités commencèrent à s'intéresser à cet événement nouveau. Se détournant du couple enlacé, ils interrompirent toute activité pour observer la scène.

Matthew leva la tête, lui aussi, tous les sens en éveil.

La femme en question devait avoir plus de soixante-dix ans. Cependant, grâce aux merveilles de la chirurgie esthétique, son visage était lisse, brillant, et quelque peu étrange. Elle portait une robe droite bleue, à sequins, qui aurait davantage convenu à une de ses cadettes. Sur elle, elle était affreuse, laissant voir des bras et des jambes d'une maigreur à faire peur, et qui avaient passé tant d'années dans des instituts de bronzage qu'ils avaient pris la texture du vieux cuir.

Tout en elle faisait mentir le dicton selon lequel on n'est jamais ni trop riche ni trop mince.

Matthew avait beau fouiller dans ses souvenirs, il ne la remettait pas.

La femme, en revanche, l'avait reconnu.

Quelqu'un la retenait par le coude, lui conseillant la prudence, mais elle était hors d'elle-même.

Foudroyant Matthew du regard, les yeux exorbités, elle se dégagea violemment.

— Evidemment, que je suis sûre de moi, espèce d'idiot ! lança-t-elle. C'est Matthew Quinn ! Le sale type qui a mis ma sœur sur la paille…

13.

A la fois étrangement lucide et engourdi par le choc, Matthew laissa ses bras retomber des épaules de Natalie et recula instinctivement, dans l'espoir de mettre une distance entre sa compagne et l'horreur qui se précipitait inéluctablement vers eux.

Elle avait entendu, bien sûr : l'invective n'avait échappé à personne. A présent, elle se tenait si raide et majestueuse qu'elle paraissait plus grande de quelques centimètres. A la voir, on eût pu penser qu'elle essayait, par son regard glacial, de congeler la furie sur place.

— Essaie un peu, Jocelyne ! Avance encore d'un pas, pour voir ! E-ssa-ye… !

Sa litanie n'était pas destinée à être entendue. Il s'agissait tout au plus d'un marmonnement farouche.

— Ne vous inquiétez pas, Natalie ! souffla Matthew en lui effleurant un bras.

Il lui restait suffisamment de sérénité pour trouver la jeune femme amusante et charmante en diable.

La princesse de Firefly Glen, d'un tempérament plutôt calme, malgré son excentricité, était prête à mordre l'une de ses très riches invitées, rien que pour défendre l'honneur de son employé…

Le seul problème était que ledit employé n'avait plus d'honneur. Et s'il ignorait qui était, exactement, Jocelyne Waitely, il était fort probable qu'elle disait vrai. La faillite de son entreprise avait ruiné un grand nombre de gens.

Oubliant toute réserve, ainsi que son bon sens, il posa doucement un index sous le menton de sa partenaire, l'obligea à le regarder et la gratifia d'un dernier sourire.

— Ce n'est pas le moment de vous laisser aller, ma belle ! dit-il doucement. Je savais bien que, tôt ou tard, il se produirait une chose semblable. Laissons cette charmante personne se défouler !

Natalie secoua imperceptiblement la tête.

— Non…

Jocelyne Waitely était enfin parvenue à se libérer et se dirigeait vers eux, tel un dragon fulminant.

— Comment osez-vous vous présenter à cette fête ? persifla-t-elle, agitant un index vermillon devant le nez de Matthew. Votre place est en prison ! Je dirais même plus : j'étais convaincue qu'on vous avait emprisonné !

— C'est ce qu'on a fait ! répliqua Matthew d'un ton égal. J'ai été libéré sur parole, il y a un ou deux mois de cela.

La femme contourna Natalie. Ses énormes boucles d'oreilles en diamant brillaient comme de petits couteaux.

— Tu étais au courant de ses malversations, quand tu l'as embauché, fillette ? Et quand tu l'as invité à cette soirée, avec des gens décents ? Tu savais que cet homme était un vulgaire repris de justice ?

— Je connais le passé de Matthew depuis le départ ! susurra Natalie. Et permets-moi d'ajouter que tu te trompes au moins sur un point, Jocelyne. Cet homme n'a rien de vulgaire !

Jocelyne partit d'un rire amer, laissant voir de petites dents pointues, sous le rouge à lèvres écarlate.

Le spectacle était particulièrement déplaisant.

— Et pourquoi donc ? Parce que ses manières sont policées ? Tu devrais pourtant savoir que c'est l'apanage des bons escrocs ! A moins que ce ne soit tout simplement parce qu'avec ce physique de play-boy, et dans ce beau costume, il ne dépare pas dans le tableau… et peut prétendre être l'un des nôtres…

Sur ces entrefaites, un homme grassouillet et court sur pattes, qui commençait à perdre ses cheveux, et était arrivé travesti en Président Harding, se précipita vers eux et prit la femme par le bras.

— Jocelyne, ma chérie. Ça suffit ! Vraiment !

— Non, Bourke. Nous sommes loin du compte, crois-moi ! rétorqua-t-elle en se dégageant du bonhomme avec hargne.

Matthew en conçut une certaine pitié pour lui.

De toute évidence, Bourke était marié à cette harpie, et s'il avait éprouvé le besoin d'endosser le costume de l'homme le plus important du pays, c'était certainement parce qu'il n'avait jamais droit à la parole, dans sa vie quotidienne.

Il envisagea brièvement de présenter ses excuses à Jocelyne Waitely.

Certes, il n'avait aucun souvenir de sa sœur, qui devait porter un patronyme différent, mais là n'était pas l'important. Lorsqu'il songeait à tous les individus qui avaient souffert de la malversation, il éprouvait de réels regrets et se sentait rongé par l'impuissance.

Malheureusement, il avait le sentiment que s'il essayait d'expliquer cela à cette femme amère, elle ne ferait que lui rire au nez.

— Alors dites-moi un peu, monsieur Quinn… Avec quel argent durement gagné jouez-vous, aujourd'hui ? Le sien ? demanda-t-elle en désignant Natalie du menton.

— Si tu n'avais pas été aussi occupée à mettre ton joli nez partout, Jocelyne, tu aurais peut-être remarqué que Matthew ne joue pas. Cela dit, j'aurais été ravie de lui faire don de tous mes jetons… Seulement je savais qu'il n'accepterait sous aucun prétexte.

La femme laissa échapper un petit sifflement.

— Bon sang ! Vous l'avez drôlement embobinée, jeune homme ! Ne prenez pas cela pour un exploit, cependant ! Les Granville ont toujours été réputés pour leur naïveté déconcertante.

Matthew entendit Natalie prendre une respiration saccadée et se demanda avec angoisse ce qu'elle allait répondre. Il commençait même à redouter ses propres réactions.

Aucun des deux n'eut le temps de répliquer, toutefois.

Tout au long de cet échange, Boxer Barnes était resté assis, à la table de poker, dans un état apparemment semi-comateux, la tête oscillant doucement. Pourtant, quelque chose dut l'interpeller car, sursautant subitement, il lança, d'un ton sans réplique, bien qu'extrêmement aviné :

— Natalie Granville est une fem-femme a-dorable et je me fais fort de botter les fè-ches de chelui qui dira le c-contraire !

Jocelyne ne daigna même pas se retourner.

— La ferme, Boxer ! Tu es trop bourré pour savoir de quoi tu parles… Comme d'habitude !

De nouveau, Matthew sentit Natalie se tendre. Elle émit même un petit son qui ressemblait à un grognement rageur. Il était grand temps de mettre fin à l'épisode.

— Madame Waitely, commença-t-il, d'un ton affable, que ne démentait pas son expression. Je serai ravi de répondre à toutes les questions que vous voudrez bien me poser. Néanmoins, il me semble que nous mettons les invités de Mlle Granville dans l'embarras… Et puisqu'il s'agit d'une affaire privée, peut-être serait-il préférable que nous en discutions en privé !

— Ça vous arrangerait bien, n'est-ce pas ? Comme ça, personne ne connaîtrait votre véritable visage… Eh bien, sachez que, pour ma part, je veux que tout le monde entende ce que vous avez à dire pour votre défense. Et nous verrons alors si vous parvenez à les embobiner tous, aussi facilement que vous l'avez fait pour ma pauvre sœur !

Heather Cahill, l'adorable sage-femme, à qui Matthew avait été présenté en début de soirée, s'était avancée sans bruit et se tenait de l'autre côté de Natalie. Elle prit la parole, d'un ton clair et posé.

— Ecoutez, Jocelyne… M. Quinn vient de vous proposer un compromis raisonnable. Pourquoi ne pas vous organiser pour le rencontrer demain ? Si vous voulez, vous…

— Ce que je veux, coupa l'irascible Jocelyne, d'un ton glacial, c'est ne plus jamais avoir à poser les yeux sur cet individu.

C'en fut trop pour Natalie, qui, après avoir laissé échapper un autre grondement, fit un pas en avant, se trouvant ainsi presque nez à nez avec son aînée.

— Ça me paraît une excellente idée, dit-elle d'un ton faussement calme. Il m'apparaît clairement que je n'aurais jamais dû t'inviter ici, ce soir. Toutefois, ne t'inquiète pas. Je comprendrai parfaitement que tu éprouves le besoin de partir immédiatement. Par ailleurs, il va sans dire que, pour t'épargner d'autres désagréments, à l'avenir, j'omettrai de t'inviter au *Pavillon d'Eté* !

Jocelyne foudroya son hôtesse du regard. Ses lèvres carmin ne formaient plus qu'un trait mince et haineux.

— Que dis-tu, gamine ?

— Tu m'as parfaitement bien entendue.

— Pauvre idiote… On a commencé à m'inviter sur cette propriété avant même que tu ne viennes au monde !

Elle avait penché la tête sur le côté et le chandelier donnait à ses cheveux blond platine la couleur de la cendre, ce qui était certainement leur pigmentation naturelle, sous la teinture.

— Et tu oses me jeter dehors ? Tu me jettes hors de cette maison ?

Matthew envisagea de s'interposer.

La femme humiliée commençait à lui sembler dangereuse, tant elle était courroucée. Mais, en dépit de leur excentricité légendaire, les Granville s'étaient visiblement endurcis, car Natalie toisa son adversaire, d'un air glacial.

— Exactement, Jocelyne. Et je suis prête à le faire de force, si nécessaire !

Une demi-heure plus tard, Natalie, légèrement envieuse, regardait Matthew danser sur *Somebody to Watch Over Me* — qui était vraiment sa chanson préférée — avec Heather Cahill.

Depuis le départ de Jocelyne et de son mari, le jeune homme faisait l'objet de toutes les attentions.

Il avait fait danser Sarah Tremaine et s'était laissé entraîner par Théo Burke dans un Charleston improvisé. Avant cela, il avait passé un moment au bar, plaisantant avec certains des invités qui l'avaient assuré, par des allusions plus ou moins subtiles, que Jocelyne n'était en aucun cas le porte-parole des Glennois.

Cet effort de groupe, aussi spontané que délicat, fut fort apprécié de Natalie qui remercia mentalement ses amis d'avoir fait de leur mieux.

Malgré tout, elle voyait bien que Matthew n'était pas vraiment touché par leurs paroles chaleureuses. Son expression, bien que très polie, restait distante, et la dignité de son attitude lui donnait à penser qu'il s'était évadé du moment présent.

Il avait dû apprendre cela en prison et elle fut peinée de penser qu'il était forcé de recourir à cet artifice, sous son propre toit.

Et bien qu'elle espérât se tromper, elle savait qu'il n'en était rien. Elle le connaissait trop bien. Au bout de dix minutes, comme elle s'y attendait, il vint la trouver pour la saluer, prétextant qu'il avait du travail, et devait vraiment s'y mettre.

— Je vous en supplie, Matthew ! Ne partez pas tout de suite !

Elle le supplia des yeux, ses lèvres restant entrouvertes en un large sourire : les gens les observaient toujours, continuant de s'interroger.

Comprenant immédiatement le jeu, il lui sourit en retour.

— Il le faut. C'est le moment idéal. Si je reste, la soirée sera gâchée… Vous le savez aussi bien que moi.

Elle détestait ce ton de voix, inébranlable et implacable. Matthew ne s'en servait que très rarement, et lorsqu'il le faisait, cela signifiait qu'il était sérieux. C'était le ton qu'il avait employé, par exemple, le jour où il avait refusé de l'aider à investir l'argent du vase Ming.

De temps à autre, il se braquait, sur un sujet quelconque. Il devenait alors totalement inutile d'essayer de le faire revenir sur sa décision, que ce soit par la négociation, les cajoleries, les suppliques ou les menaces.

Aussi, et bien qu'elle regrettât déjà les rires, les danses, les verres partagés et les prétextes futiles pour se toucher, auxquels elle avait rêvé pour cette soirée, ne discuta-t-elle pas.

Elle décida de le laisser regagner sa garçonnière, en s'accrochant à l'espoir que plus tard, peut-être, lorsque les invités seraient repartis…

— Je n'ai même pas eu l'occasion de vous remercier convenablement, d'avoir pris ma défense ! dit-il d'un ton étrangement conventionnel.

— Ne soyez pas ridicule ! Vous n'avez pas à me remercier. C'est moi qui ai invité cette vipère. Je n'allais tout de même pas la laisser vous mordre !

Il la considéra un instant, toujours distant, toujours retranché dans cette coquille, où elle ne l'atteindrait jamais, sauf s'il l'y autorisait.

Ses yeux étaient totalement dénués d'expression.

— Les Granville doivent avoir la réputation d'être extrêmement loyaux, non ?

— Si, répondit-elle, en toute simplicité.

— C'est peut-être là le trait de caractère le plus séduisant de votre famille, dit-il, avec un sourire un peu plus chaleureux, cette fois.

— Malheureusement, cela ne signifie pas pour autant que ce soit le plus utile, attendu la mesquinerie éventuelle du monde, ajouta-t-il.

— Vous oubliez que nous ne vivons pas dans le monde réel, répliqua-t-elle, espérant alléger l'atmosphère. Comme on a déjà dû vous en avertir, nous avons tendance à vivre sur notre propre planète.

— Je le sais !

La gratifiant d'une légère caresse sur la joue, il se tourna vers la sortie.

Natalie le suivit jusqu'à la porte, qu'elle avait laissée ouverte, pour permettre à l'air de pénétrer. Au dernier moment, elle lui prit la main, dans l'espoir de le retenir, ne serait-ce qu'une minute de plus.

Il se retourna, l'interrogeant froidement du regard.

— Je voulais simplement... Vous remercier d'être resté aussi longtemps parmi nous, expliqua-t-elle, avec raideur. Je sais que vous avez fait cela pour mes invités… Pour qu'ils ne soient pas trop gênés par ce qui s'est produit.

Matthew haussa les épaules.

— Le moins qu'on puisse dire est que l'épisode a été des plus déplaisants. Je voulais m'assurer que vos invités voient qu'il n'y avait pas de mal. A présent, ils peuvent se détendre et recommencer à s'amuser.

— Est-ce vrai, Matthew ?

Elle aurait tant voulu porter la main à son visage, afin de sentir s'il était aussi tendu et bouleversé qu'il en avait l'air. Malheureusement, c'était impossible. Tout en lui décourageait la moindre marque d'affection.

— Quoi ?

— Vous me paraissez… tellement lointain… Est-ce vrai qu'il n'y a pas de mal ?

— Pas ce soir, répondit-il sombrement. Le mal dont vous parlez a été commis il y a bien longtemps !

Assis dans un large fauteuil, Matthew déboutonna le col de la chemise de l'oncle Théodore pour faire glisser le scotch pur qu'il avait posé sur la table, devant lui.

Il était là depuis une bonne heure et s'efforçait de prendre une décision.

Ou plutôt, d'accepter la réalité, car il savait déjà ce qu'il convenait de faire.

Ce n'était pas simplement dû à l'apparition de cette mégère, qui l'avait agoni d'injures, plutôt stéréotypées, si on y songeait bien. Pendant les mois qui avaient précédé son procès, et même pendant le procès lui même, il avait enduré des milliers d'invectives, personnelles et bien plus blessantes que celles que Jocelyne Waitely avait été capable de lui jeter à la figure.

Non…

Ce qui l'avait achevé, ce soir, était l'idée qu'il avait inoculé ce poison, cette mesquinerie et cette disgrâce sordide dans le petit monde de Natalie Granville.

Dans sa propre demeure.

Et, s'il en jugeait par la manière féroce dont elle avait volé à son secours, au plus profond de son âme.

Il avait vu, dans ses yeux anxieux, qu'elle redoutait de vrais ennuis. Il l'avait senti, dans sa manière de se raccrocher à lui, devant la porte.

Et c'était l'une des raisons pour lesquelles il se devait de prendre une mesure draconienne, qu'elle le veuille ou non.

Elle commençait à le comprendre un peu trop bien. Elle se rapprochait dangereusement.

Pire encore, il commençait à dépendre d'elle, de sa remarquable intuition, de sa profonde tolérance, de son soutien infaillible.

Ce qui était parfaitement insensé.

Parce que, enfin, jamais une femme telle que Natalie Granville ne pourrait être la partenaire d'un Matthew Quinn…

Jamais…

Il n'avait rien à lui offrir. Comment aurait-il pu lui demander de l'épouser, d'abandonner la demeure de ses ancêtres, de quitter ses amis et sa ville natale, pour le suivre en Floride, où elle passerait ses journées à préparer des rôtis et à tenir la caisse du restaurant flambant neuf de la famille Quinn ?

C'était impossible et il le savait bien.

D'un autre côté, quelle alternative avaient les deux jeunes gens ?

Natalie pouvait-elle épouser son employé et passer le restant de ses jours à se fâcher successivement avec tous ses amis, pour défendre l'honneur de son mari ? Devait-elle vivre avec lui, sur cette montagne, totalement isolée, et trimant du matin au soir, pour joindre les deux bouts, en espérant que le toit ne leur tombe pas sur la tête ?

Jamais…

A moins que la réponse ne soit, tout simplement, pour lui, de rester là, quelques semaines supplémentaires. Il passerait quelques nuits dans son lit, afin de calmer sa libido post-carcérale… Et puis, quand il en aurait assez, lorsqu'il lui aurait siphonné suffisamment de douceur et d'optimisme pour pouvoir continuer seul, il partirait pour la Floride, la laissant endurer l'humiliation et la honte engendrées par son cynisme…

Matthew jura et engloutit son whisky d'un seul trait, qui lui brûla la gorge.

Puis il se leva pour préparer son sac.

Cela ne fut pas bien long. Il était arrivé avec un minimum d'effets et c'est ainsi qu'il repartirait.

Dès le lendemain matin…

Il se rassit, un autre whisky à la main, et commença à répéter ses mots d'adieu.

Par la fenêtre ouverte, Matthew entendait le brouhaha montant du casino.

Parker et Sarah repartirent tôt : ils ne pouvaient supporter de rester loin de leur nouveau-né très longtemps. Puis le montant total des fonds récoltés pour la sauvegarde du lac Llewellyn fut annoncé, soulevant des tonnerres d'applaudissements.

En toile de fond, Matthew entendait la musique, les rires… et il perçut même le claquement d'un ballon qui avait dû dériver trop près du lustre.

Il était très tard lorsque les derniers invités prirent congé, saluant leur hôtesse en des termes affectueux, qui flottèrent jusqu'à lui, comme le son des cloches.

— Superbe soirée, Natalie. Merci ! Dors bien !

— Une fête schplendide, mon pe-pe-tit ! Bas les p-pattes, shéri-rif ! Je shuis asshez gr-grand pour mar-cher tout tout sheul !

— J'ai passé une soirée merveilleuse, ma chérie. Appelle-moi demain !

— Au revoir, ma chérie.

Ma chérie.

L'affection…

L'amour.

Ces gens, si différents les uns des autres, aimaient tous Natalie Granville, à l'unanimité. Ce qui était naturel, en somme. Comment aurait-il pu en être autrement ?

Matthew attendit le moment où les pas de la jeune femme feraient crisser le gravier, en se laissant submerger par une excitation aussi irraisonnée qu'intense. Fort heureusement, il lui restait suffisamment de bon sens pour se rendre compte de l'ironie de la situation : s'il avait hâte qu'elle arrive, c'était parce qu'il voulait lui dire au revoir à jamais.

Une demi-heure s'écoula.

Ça n'était pas normal. La jeune femme avait-elle décidé de ne pas venir, finalement ?

Elle le connaissait pourtant bien. Et il la connaissait aussi. Elle n'était pas du genre à minauder, à se faire désirer, ni même à s'interroger sur le bien-fondé de sa démarche. Non. Elle était plutôt femme à abandonner les verres sales sur les tables, les assiettes dans l'évier et à courir vers lui, pieds nus, pour le menacer de faire un caprice, s'il refusait de lui expliquer ce qui n'allait pas.

Il se rendit d'abord au casino. Et si la porte en était toujours ouverte, la salle, elle, était déserte.

Comme prévu, les choses avaient été laissées en l'état. Les ballons commençaient à redescendre lentement, le bar était encombré de coupes de champagne encore pleines, des mains entières de poker reposaient toujours, faces cachées, sur les tapis de jeu.

Il appela la jeune femme, n'obtenant en retour qu'un écho étouffé, lui rappelant que la pièce clandestine avait été creusée dans le flanc de la montagne.

Il décida alors d'aller voir dans la maison.

La cuisine était vide, ainsi que toutes les pièces du rez-de-chaussée. Et bien que l'angoisse commençât à monter en lui, il refusait de mettre des mots sur les pensées obscures qui l'assaillaient, menaçant de le rendre fou d'inquiétude.

Bon sang ! Où pouvait-elle être ?

Il finit par remarquer que la porte menant au sous-sol était entrouverte. Et, bien qu'aucun son ne montât de ses profondeurs, la lumière était allumée.

Il sentit un picotement de mauvais augure s'emparer de sa nuque.

La première chose qu'il vit fut la rampe, brisée. Elle pendait en haut des marches, désormais inutile. Dangereuse, même, si elle s'était brisée au moment où quelqu'un s'appuyait dessus.

Puis il vit Natalie, et son cœur bondit dans sa poitrine, résonnant bruyamment quelque part dans sa gorge serrée.

Elle était assise à même le sol de béton, les jambes repliées selon un angle bizarre, un peu comme si elle avait soudain décidé de s'affaler là pour se reposer un moment.

Comme elle lui tournait le dos, il ne voyait pas très bien ce qu'elle faisait et ne pouvait être certain qu'elle était saine et sauve. Sa jolie robe topaze et or luisait doucement, sous l'ampoule nue, lui donnant l'air de se consumer lentement.

Une bouteille de cognac brisée gisait sur le sol, à côté d'elle. Matthew se souvenait lui avoir dit que cette marque de cognac était celle qu'il achetait, autrefois. Des éclats de verre brun émergeaient, tels autant d'îlots, de la flaque de liquide ambré. Et juste à côté, à quelques centimètres de ses doigts, un énorme bracelet de diamants brillait de tous ses feux.

Il s'imprégna de tous ces détails, et, sans prendre le temps d'en tirer aucune conclusion, descendit les marches deux à deux. En moins de temps qu'il ne faut pour le dire, il fut auprès de la jeune femme.

— Natalie ?

Elle se tourna vers lui, un rictus désabusé aux lèvres.

— C'est malin, hein ?

Bien qu'elle parût un peu échevelée et légèrement contrariée, Matthew ne voyait aucune contusion. Par ailleurs, elle ne semblait pas avoir pleuré ou paniqué.

Dieu merci, elle n'avait rien.

— Je suis descendue chercher ce cognac, que vous aimez tant, dit-elle, aussi naturellement que si elle avait poursuivi une conversation interrompue, quelques secondes auparavant.

— Et le bracelet de Bart était là, par terre… Il a dû glisser de mon poignet, la dernière fois que je suis venue chercher une bouteille de vin… Alors je suis remontée en courant, pour lui annoncer la nouvelle, par téléphone, et, à mi-chemin, je me suis aperçue que j'avais oublié de remonter le cognac. J'ai voulu faire demi-tour… Et cette fichue rampe a lâché.

— Le principal, c'est que vous n'ayez rien !

S'il se fichait éperdument de la saga du bracelet de Bart, il était terriblement content qu'elle fût assez lucide pour la lui relater. Elle n'était certainement pas tombée du haut des escaliers, sans quoi…

Il refoula cette pensée. Elle appartenait au domaine de l'inenvisageable.

— Je n'ai rien, rassurez-vous. Ma cheville est légèrement sensible, voilà tout. Par contre, soupira-t-elle avec tristesse, je crains que le cognac, lui…

Matthew tendit la main vers elle et repoussa doucement une mèche de ses cheveux soyeux de son visage. Puis il fit courir ses mains le long de ses bras, la palpant minutieusement, à la recherche d'une blessure éventuelle, d'un hématome, de la moindre goutte de sang.

Bien que son visage ne fût pas crispé et qu'elle ne semblât pas souffrir, mieux valait être prudent.

— Je n'arrête pas de me casser la figure... Vous devez commencer à trouver cela monotone !

En souriant, elle plongea un doigt dans le cognac répandu sur le sol.

— Pourtant, cette fois-ci, je n'étais pas ivre, je vous assure ! Je n'ai pas bu une seule goutte, de la soirée. Et à présent, ça m'a l'air compromis... C'était notre dernière bouteille... Dire qu'il s'agissait de votre marque préférée.

— Ne vous en faites pas pour cela maintenant ! dit-il. Ça n'a strictement aucune importance !

Le soulagement le stimulait beaucoup plus efficacement que le meilleur cognac du monde.

— Ça en a une pour moi ! s'exclama-t-elle.

Elle se releva en soupirant tristement, s'appuyant autant que possible sur son pied gauche, puis elle lissa la jupe de sa robe autour de ses jambes.

— Pour votre gouverne, j'avais de grands projets, pour cette bouteille de cognac !

— Vraiment ? sourit-il. Et on peut connaître lesquels ?

Elle laissa son regard s'attarder sur le mélange de verre brisé et de cognac, et poussa un nouveau soupir.

— Je voulais vous enivrer !

14.

Natalie s'assit sur le rebord du lit, dans la garçonnière, perdue dans ses pensées. Elle restait sidérée que Matthew eût accepté sa proposition aussi facilement.

Il n'avait soulevé aucune protestation. Elle avait commencé à lui énumérer toutes les raisons pour lesquelles elle ne pouvait rester seule dans l'immense maison déserte, ce soir, et devait, par conséquent dormir dans la garçonnière, lorsqu'il avait levé les mains, en signe de reddition.

— C'est bon, capitaine ! Vous pouvez cesser le feu ! s'esclaffa-t-il. La forteresse vient de se rendre… De toute façon, je n'avais pas l'intention de vous laisser seule, cette nuit. Après une chute pareille, on ne sait jamais… Il peut y avoir des complications !

Elle n'avait aucune crainte sur ce point. La chute avait été bénigne, et elle était plus affectée par la perte du cognac que par le reste.

Néanmoins, Matthew avait insisté pour la conduire à l'hôpital de Firefly Glen, où ils avaient attendu pendant près d'une heure qu'on veuille bien réveiller un médecin. Celui-ci avait radiographié sa cheville et examiné ses pupilles, et cela bien qu'elle l'eût assuré qu'elle ne s'était pas cogné la tête. Sa cheville n'était pas cassée, tout juste luxée.

Cependant, la jeune femme était ravie de se laisser materner, au moins pour la nuit.

Et plus encore de se trouver dans cette garçonnière douillette, aux dimensions humaines. Sans raison apparente, elle avait redouté les heures de solitude, dans la maison vide.

Matthew s'y trouvait, en ce moment même. Il était parti lui chercher de quoi se changer. Aussi attendait-elle patiemment son retour, assise sur ce lit fabuleux. Elle fit glisser une main sur l'une des colonnes, effleurant successivement l'aile ciselée d'un oiseau puis le corps sinueux d'un serpent.

Jamais le prince de Tahiti n'aurait dû accepter de se défaire d'une telle merveille.

Matthew réapparut au bout d'une dizaine de minutes, tenant, d'une main, une longue chemise de nuit de flanelle bleue et, de l'autre, la robe de chambre assortie.

— Je n'ai pas pris la peine de vous apporter des chaussons, ironisa-t-il. Je sais que…

— Je déteste avoir quelque chose aux pieds, termina-t-elle pour lui, ravie. Vous avez bien fait !

Si la chemise de nuit était d'une sobriété incontestable, le choix n'était pas judicieux pour autant, par une nuit d'été comme celle-ci. Natalie songea qu'elle étoufferait bientôt, se sentant trop moite de sueur pour dormir.

… Enfin ! Avec un peu de chance, elle n'aurait pas à la porter bien longtemps.

Loin d'elle l'intention de précipiter les choses, néanmoins. Pour l'instant, elle se délectait du plaisir d'avoir retrouvé le Matthew qu'elle connaissait, et non cet étranger au regard dénué d'expression qu'elle avait vu, ce soir.

Mieux, elle était ravie d'être en sa compagnie : si elle ne se considérait pas comme une personne vulnérable, ce soir, pour une raison qui lui échappait, elle avait besoin de sa force.

Aussi se contenta-t-elle de prendre les vêtements en le remerciant.

— Ça ne vous dérange pas que j'aille me changer dans la salle de bains ?

Il secoua la tête.

Tout en traversant la pièce, en boitant le moins possible, elle remarqua les menues réparations qu'il y avait apportées. L'éclairage n'était plus bancal et la cuisinière était équipée de nouveaux brûleurs. Quant au robinet de l'évier, il avait complètement cessé de goutter.

Matthew avait pris sur son temps de repos pour effectuer ces travaux. Pendant la journée, il se consacrait entièrement au *Pavillon d'Eté*.

Une fois dans la somptueuse salle de bains romaine, qui était presque aussi grande que le reste de la garçonnière, elle se changea rapidement, se démaquilla et lissa ses cheveux de son mieux, du bout des doigts.

Quelle tristesse ! Ni parfum, ni soie, ni musique d'ambiance…

Pire encore, dans cette chemise de nuit quasi victorienne, ses formes disparaissaient totalement.

Pourtant, elle ne désespérait pas : si Matthew n'avait pas douté de sa propre détermination, jamais il n'aurait opté pour une tenue si chaste, qui aurait pu être portée par une nonne du onzième siècle, enfermée dans une cellule glaciale, en dépit d'une phtisie virulente.

Lorsqu'elle ressortit, elle constata que le jeune homme, lui, avait endossé un jean et un T-shirt. Il ne semblait pas prêt à se dévêtir davantage… Peut-être avait-il décidé de dormir debout…

Ou de ne pas dormir du tout…

— J'ai un peu honte de vous prendre votre lit douillet ! fit-elle remarquer poliment.

— Ne vous en faites pas pour ça ! Le fauteuil est tellement confortable, lui aussi, qu'il m'arrive souvent de m'endormir dedans, quand je lis, le soir !

Natalie lissa un instant le couvre-pied soyeux, puis releva la tête, le considérant d'un air malicieux.

— J'ai une idée ! Nous allons jouer ce lit au bras de fer. Qu'en dites-vous ?

Matthew secoua la tête, vaguement amusé.

— Ce n'est pas ce qu'a dit le prince de Tahiti, juste avant de le perdre ?

— Si, seulement il n'avait que douze ans. Il ne pouvait pas savoir…

— Prenez le lit pour ce soir, Natalie. Je vous assure ! Pas besoin de bras de fer pour cela !

— C'est beaucoup moins drôle ainsi !

Elle était étendue à plat ventre sur le couvre-pied, le coude droit appuyé sur la table de nuit, prête au combat.

— Avouez que vous avez peur de perdre ! ajouta-t-elle, d'un ton mutin.

Il la considéra un instant, s'efforçant, de toute évidence, de réprimer un sourire. Pour ce faire, il dut se mordre les lèvres, faisant apparaître deux fossettes, si sexy que la jeune femme fut époustouflée.

Une seconde, elle crut qu'il allait refuser. Puis, contenant toujours tant bien que mal son sourire, il s'avança, et retira le roman policier et le broc d'eau, posés sur la table de nuit, avant de s'agenouiller pour poser un coude près du sien.

— D'accord.

Sa main hâlée faisait deux fois la taille de celle de Natalie, qui serra vivement les doigts et poussa de toutes ses forces, dans l'espoir de bénéficier de l'effet de surprise.

Espoir déçu, hélas.

Matthew lui maintint le bras en place aussi facilement que s'il s'était agi d'un papillon. Pendant quelques secondes, qui lui parurent durer une éternité, elle poussa, projetant tout son corps en avant, de plus en plus fort, jusqu'à en perdre haleine.

Les muscles de l'avant-bras de son adversaire ne tressaillirent même pas, et elle ne réussit pas à le faire bouger d'un millimètre. Pire, pas une seule seconde, le jeune homme ne se défit de son sourire ravageur.

Natalie se mit tant bien que mal sur ses genoux, et se rapprocha de la table de nuit, pour être au même niveau que lui.

Cela ne changea rien.

— Bon sang, dit-elle, essoufflée. J'aurais dû manger davantage d'épinards, quand j'étais petite !

— Vous abandonnez ? demanda-t-il, d'un ton morne.

A l'entendre, on eût dit qu'il aurait pu repeindre la pièce entière, tout en poursuivant le combat.

— Pas question !

Elle se rapprocha encore un peu, mettant toutes ses forces dans la bataille, et bientôt, leurs visages ne furent plus séparés que de quelques centimètres.

Ce que, bien sûr, la jeune femme avait en tête, depuis le départ.

Tout deux se ressentaient toujours vaguement de l'incident de la soirée, ne parvenant pas à se départir d'une certaine gêne. Il leur fallait un expédient pour briser la glace. Un contact physique innocent, une marque d'intimité sans gravité.

Si elle parvenait à rompre cette fichue glace, peut-être une grande marée s'ensuivrait-elle…

Natalie s'était promis de ne pas précipiter les choses. Malheureusement, leur proximité mettait à mal ses belles résolutions. Elle était déjà complètement électrisée par son contact.

— Matthew…

Elle considéra fixement son bras, si puissant, ses doigts hâlés et graciles, et s'efforça de réprimer son désir. Si elle allait trop loin, il risquait de se retrancher dans sa forteresse intérieure.

Elle sentait son souffle sur le bout de ses doigts. Elle respirait l'odeur de l'assouplissant, sur le T-shirt qu'elle avait lavé elle-même, et dont le tissu épousait subtilement les muscles tendus de son torse.

— Matthew, répéta-t-elle.

Sur ce, et un peu malgré elle, elle commença à faire glisser son pouce le long de sa main.

Puis elle le regarda dans les yeux. Il avait retrouvé sa réserve.

— Si nous décrétions que nous avons fait match nul ? Le lit est grand. Nous n'avons qu'à le partager !

Le jeune homme ferma les paupières, l'espace d'une seconde, et elle eut l'étrange sentiment qu'il s'efforçait de refouler la vision provoquée par ses paroles.

Quand il les rouvrit, son regard était sombre et étrangement malheureux. Il se porta d'abord sur leurs deux mains liées, puis sur un point, derrière elle, sur le mur. Finalement, avec une lenteur extrême, délibérée, Matthew abandonna la partie.

Et bien que Natalie n'exerçât plus la moindre pression, son bras continua de tomber, inexorablement, finissant par toucher le marbre de la table de nuit.

Un silence de mort s'ensuivit.

— Je serai très bien dans le fauteuil, dit-il enfin, levant les yeux vers elle. C'est mieux ainsi, Natalie. Croyez-moi !

La jeune femme prit une profonde inspiration. Si elle n'avait pas eu l'intention de lui forcer la main ce soir, à présent, elle ne pouvait plus reculer. Elle devait foncer tête baissée, sous peine d'être obligée d'abandonner tout espoir.

— Je sais que vous en êtes sincèrement convaincu, Matthew... Ce que je ne parviens pas à comprendre, c'est la raison pour laquelle vous avez érigé ce mur infranchissable, entre nous.

Lui lâchant la main, il se leva et se mit à arpenter la pièce.

— Je vous ai déjà expliqué tout cela. Je m'efforce de prendre un nouveau départ. Et je ne veux pas commencer en exploitant une personne à laquelle, de surcroît, je suis profondément attaché... Je ne veux pas amorcer ma nouvelle existence en vous blessant.

Natalie s'agenouilla sur le lit, les mains crispées sur ses cuisses.

— C'est précisément ce que je ne comprends pas. Comment pouvez-vous être aussi certain que vous me feriez du mal en me faisant l'amour ? Je ne suis pas en sucre, vous savez ! Ni physiquement ni émotionnellement !

Il hésita un instant, comme pour débattre intérieurement. Puis, avec des gestes décidés, il contourna le lit et s'empara de son paquetage.

Il le jeta sur le lit, où il atterrit avec un bruit mou.

— Voilà pourquoi je suis aussi sûr d'avoir raison, Natalie ! Après mon départ du casino, ce soir, je suis rentré directement ici, pour réfléchir sérieusement. Je n'aurais jamais dû vous mettre dans cette situation délicate et je ne veux pas risquer que cela se reproduise. Je ne peux pas rester ici. Je partirai dès demain matin...

Elle contempla le sac, dont la masse noire contrastait, telle une tache de mauvais augure, sur le blanc du couvre-lit.

— A cause de Jocelyne ?

— Pas seulement, non...

Comme s'il lui était insupportable de la regarder en face il s'avança jusqu'à la fenêtre ouverte, et se mit à scruter la ligne sombre des montagnes.

— C'est aussi à cause de moi… Et de nous. Vous savez bien que la situation commence à nous échapper. Et, vu qu'en tan que couple, nous n'avons aucun avenir possible, je…

— Matthew…, commença Natalie, s'efforçant de ne pas paniquer.

Il l'interrompit aussitôt, peut-être parce qu'il redoutai d'entendre les mots qu'elle s'apprêtait à prononcer.

— Je vous en supplie, Natalie. Ne me demandez pas de rester. Il faut que je parte. J'ai encore beaucoup de problèmes à régler… A propos de moi-même, de ma vie… D'une certaine manière, je me suis terré ici pour éviter de prendre les décisions qui s'imposent. Cela ne peut pas être une fin en soi et se prolonger. Et plus je m'attarderai, plus il me sera difficile de partir.

Elle brûlait d'envie d'aller vers lui, de passer ses bras autour de son cou pour adoucir sa peine. Hélas, elle ne le pouvait pas.

Du moins pas sans son accord.

— Entendu ! déclara-t-elle, faisant de son mieux pour paraître rationnelle et totalement maîtresse d'elle-même.

— J'accepte votre raisonnement… Vous m'avez toujours dit, depuis le départ, que vous ne faisiez que passer. Je ne vous cacherai pas que cela me déplaît fortement ni que vous me manquerez terriblement. Cependant, je ne voudrais pas que vous preniez une décision qui risque de vous empoisonner la vie, sous prétexte que vous voulez m'épargner !

— Ce ne serait pas bon pour vous non plus, dit-il d'un ton sec. Vous pouvez me croire sur parole !

Elle s'apprêtait à protester. Qu'en savait-il, après tout ? De toute évidence, il ne comprenait pas l'importance qu'il avait prise, à ses yeux.

Elle parvenait à peine à envisager ce que serait son existence, sans lui. Quand elle y songeait, ne serait-ce qu'un instant, elle en avait presque le souffle coupé.

Adieu, le partenaire, fidèle dans l'adversité… Adieu, l'ami avec qui plaisanter joyeusement. Adieu enfin, le sentiment de sécurité que lui donnait, le soir venu, la lumière brillant dans la garçonnière, tel un point d'amarrage, qu'elle pouvait voir de la fenêtre de sa chambre.

Cependant, ce n'était pas le moment de penser à tout cela. S'il était sérieux, s'il avait réellement l'intention de partir dès le lendemain matin, il importait de ne pas gâcher leurs dernières heures par une scène mélodramatique.

Elle se leva et se dirigea vers la fenêtre, à son tour, en boitant un tout petit peu, et se plaçant derrière lui, lui effleura le bras.

— Matthew ? demanda-t-elle avec toute la simplicité qu'elle trouva en elle. Pourquoi ne me faites-vous pas l'amour ? C'est notre dernière nuit, alors pourquoi ne pas la passer dans les bras l'un de l'autre ? Vous n'avez pas envie de moi ?

— Bon sang, Natalie… Vous savez bien que je vous désire comme un fou. Comme un homme affamé… Malheureusement, je ne peux pas vous faire une chose pareille.

Avec un petit rire, elle fit lentement glisser sa main jusqu'à son coude.

— Enfin… C'est moi qui vous le demande ! Je suis quasiment en train de vous supplier !

Il secoua la tête, lui tournant toujours le dos.

— Vous êtes la femme la plus généreuse, la plus innocente et la plus aimante que j'aie jamais rencontrée. En fait, vous êtes trop généreuse… Trop innocente, ajouta-t-il en ferman les yeux. Trop aimante…

Elle attendit quelques secondes, cherchant commen l'atteindre.

Il lui paraissait évident que le jeune homme s'était répét toutes ces choses des milliers de fois, au point d'en faire un litanie, à laquelle elle ne pouvait que se heurter.

— Regardez-moi, Matthew, dit-elle finalement. Je vous e supplie. Je veux vous expliquer une chose assez complexe.. Et très importante.

Lentement, comme s'il redoutait même de poser les yeu sur elle, il tourna la tête.

— Je sais bien que j'ai l'air vulnérable, et aussi ingénu qu'une petite fille, commença-t-elle simplement… Mais, croyez moi, je ne suis plus une enfant. Et je ne suis pas aussi naïv que vous semblez le penser… Certes, certaines personnes dans cette ville, adorent s'occuper de moi et nul doute qu'il ont essayé de vous faire croire que je suis tellement ingénu que c'est tout juste si je suis capable de traverser la rue tout seule… Seulement, ils se trompent.

Matthew pencha la tête sur le côté, d'un air accablé.

— Je n'en suis pas si sûr, Natalie ! Songez seulement la manière dont vous m'avez embauché. Si ce n'est pas un preuve de naïveté…

— Absolument pas ! Ce n'est pas toujours idiot d'obéir son intuition, Matthew. Surtout quand celle-ci vous tromp rarement. Or, je me fais facilement une opinion assez just des gens. Tout comme vous, d'ailleurs !

Le regard de Matthew restant sombre et dénué de la moindr lueur d'espoir, elle décida de s'aventurer un peu plus loin.

Cela allait être difficile et elle espérait pouvoir trouve les mots justes.

— A mon avis, le problème vient de ce que vous vous méprenez sur la personnalité des Granville, expliqua-t-elle. Certes, nous sommes d'un optimisme incurable et souvent totalement injustifié. Certes, nous n'avons rien de très conventionnel. C'est inscrit dans nos gènes. Nous n'aimons pas particulièrement marcher au pas, avec le restant de la troupe… Aussi, construisons-nous nos maisons à flanc de montagne. Comme ça, nous pouvons respirer un peu plus tranquillement. Et nous fabriquons des planétariums sur le toit, pour faire corps avec les étoiles.

Elle laissa se blottir sa main dans celle de Matthew. Et bien qu'il reste sans réaction, elle agrippa ses doigts, dans l'espoir que, tôt ou tard, il serrerait les siens, en retour.

— Toutefois, nous ne nous comportons pas ainsi par naïveté. Nous avons choisi ce style de vie, Matthew. Nous avons choisi d'écouter nos envies, de rire aussi souvent que possible, de rêver tout éveillé et d'aimer ardemment.

Aïe. Elle s'était pourtant juré de ne pas prononcer le mot « aimer », de peur qu'il ne se sente piégé. Car bien qu'il soit arrivé à Firefly Glen en homme blessé, s'il était prêt à poursuivre sa route, s'il était guéri, elle se devait de le laisser partir.

Elle ne lui parlerait donc pas d'amour. Elle n'avait pas l'intention de le mettre en cage, ici, au *Pavillon d'Eté*, tel un oiseau dont l'aile serait irrémédiablement brisée. Aucun Granville n'aurait pu vivre ainsi et, par conséquent, en digne descendante des Granville, jamais elle n'exigerait cela d'autrui.

Ne pas invoquer l'amour, donc. Pour ne pas le faire capituler en jouant sur ses sentiments.

S'il venait à elle, il devait le faire librement, parce qu'il le souhaitait, parce que cela lui paraissait essentiel, parce qu'il pensait que leur union pourrait être à la fois belle et légitime.

Elle s'efforça de poursuivre, aussi logiquement que possible.

— Cependant, les Granville ont toujours su qu'il y avait un prix à payer, et qu'il était plutôt élevé. La seule différence est que, contrairement à d'autres, nous avons toujours accepté l'addition.

La main de Matthew se referma subitement sur la sienne, avec une fermeté étonnante.

— C'est bien le cœur du problème, Natalie. Je refuse que vous ayez à payer. Et si nous faisions l'amour ce soir...

Elle lui serra la main avec force. Si seulement elle parvenait à lui faire entendre raison !

— Oui ? Que craignez-vous, au juste ? Que cela me souille ? Cette notion me paraît quelque peu archaïque, vous ne trouvez pas ? Que je garde des séquelles, consécutives à la perte de ma virginité ? Désolée de vous décevoir, mais Donnay Fragonard me l'a prise, par un bel après-midi de printemps, il y a bien huit ans de cela, à une heure où nous aurions dû assister à un cours d'algèbre, à la fac... Que je tombe enceinte ? J'en doute fort. J'avais mis quelques préservatifs dans la trousse de premier secours, dans la salle de bains. Et, au moment où je vous parle, j'en ai un dans ma poche.

Matthew se renfrogna.

— Ce qui prouve bien, termina-t-elle en souriant, que les Granville ne sont pas si naïfs qu'on veut bien le dire, après tout !

— Vous plaisantez, dit-il d'un ton rude. Mais...

— D'accord ! Parlons sérieusement.

Elle prit une longue inspiration, avant de poursuivre :

— Je sais ce que vous pensez, au fond de vous. Vous vous dites que si nous faisons l'amour cette nuit, j'aurai encore plus de chagrin, quand vous partirez, demain matin.

— Oui. C'est exactement ce que je redoute, répondit-il, sans sourciller.

— Eh bien, permettez-moi de vous dire que vous faites fausse route ! lança-t-elle, sentant l'irritation monter en elle.

Cette situation était trop idiote.

Sans compter qu'ils perdaient de précieuses minutes, à discuter ainsi…

— Ce serait même plutôt le contraire. Je vous aime beaucoup, Matthew. Et il est vrai que je souffrirai, quand vous vous en irez, demain. Enormément, même. Seulement si vous partez sans que j'aie jamais caressé votre corps dans l'obscurité… Sans que je vous aie senti aller et venir en moi, sans que je vous aie jamais entendu murmurer mon nom…

Elle déglutit péniblement, espérant que sa voix ne trahissait pas le désespoir qui l'habitait.

— Si vous partez sans m'avoir donné une chance de connaître tout cela, je souffrirai doublement, Matthew. D'une part pour ce que j'aurai perdu, et d'autre part pour ce que je n'aurai jamais eu !

15.

Une seconde, elle crut qu'il allait se détourner d'elle, sans se soucier de son désespoir, de son désir, de son désarroi.

Toutefois, il la désirait lui aussi. La dévisageant d'un regard ténébreux, il posa doucement ses mains sur son visage.

— Tu le penses vraiment, Natalie ?

Elle hocha lentement la tête. A présent qu'il la touchait, il lui était presque impossible de penser ou même de respirer. Pourtant elle savait qu'elle avait dit vrai. S'il la quittait sans lui avoir fait l'amour, elle en concevrait un immense vide intérieur, et cela pour le restant de ses jours.

— Dans ce cas, viens à moi, ma belle, dit-il en l'attirant contre lui. Aime-moi… Et faisons de cette nuit un moment inoubliable.

Il se pencha en avant et, avec une lenteur insupportable, fit passer l'épaisse chemise de nuit par-dessus sa tête. Tandis que le tissu glissait sur sa peau, exposant sa nudité, elle eut l'impression qu'un voile de désir l'enveloppait tout entière.

Il la contempla sans rien dire, pendant une longue minute, et elle dut puiser en elle le courage de le laisser faire. Elle se tenait coite, nue devant lui, sous la lumière blafarde de la lune, ses boucles folles effleurant ses seins frissonnants.

— Tu es magnifique, dit-il.

Son timbre de voix était tellement empreint d'adoration qu'elle eut l'impression que ces paroles, pourtant si galvaudées, n'avaient jamais été prononcées. Dans la bouche de Matthew, elles paraissaient sincères.

— Je t'en supplie, Matthew. Aime-moi, murmura-t-elle.

Elle étouffait, tant le désir s'était emparé de son corps. Sa faim semblait sourdre du plus profond de son ventre, douloureuse.

Matthew se débarrassa à son tour de ses vêtements et elle eut le souffle coupé en découvrant son désir enfin dévoilé.

Elle resta muette, incapable de lui faire le moindre éloge. Il était plus qu'attirant… Il incarnait à la fois la beauté, la force et l'amour, le tout enfermé dans un seul corps, splendide.

Et soudain, elle sentit son cœur s'affoler. Elle avait fait preuve d'outrecuidance, quelques moments plus tôt, en évoquant la question du sexe — comme si elle avait été le genre de partenaires affranchies et chevronnées auxquelles il devait être habitué.

A présent, confrontée à l'incroyable puissance de ce corps masculin, tout de muscle et de désir, elle craignit de l'avoir dupé. Au bout du compte, elle n'y connaissait rien, ne savait rien de l'intensité et de la sensualité pure qu'elle voyait devant elle.

Elle l'avait assuré qu'elle n'avait rien d'innocent, rien de vulnérable, et ce souvenir l'effraya subitement. Et si elle se révélait une maîtresse maladroite ? Si ses charmes modestes ne suffisaient pas, en un tel moment de grâce ?

Pour la première fois de sa vie, elle regretta sa légèreté et son exubérance de Granville.

Elle aurait de loin préféré, en cette occasion, être une femme fatale et mystérieuse en diable, un peu comme Cléopâtre ou Hélène de Troie.

Il la souleva, lui soutenant la taille et les genoux de ses mains brûlantes, et la porta jusqu'au lit. Puis il la déposa doucement sur le couvre-pied et s'allongea à côté d'elle, lui plaçant doucement la tête au creux de son bras.

Ne sachant ni que dire ni que faire, elle leva les yeux vers lui. Il ne l'avait pas encore touchée, du moins pas en ces endroits merveilleux, dont elle sentait déjà qu'ils étaient chauds, humides, prêts à l'accueillir.

— Tu es absolument sûre de toi, Natalie ?

Son visage était penché sur elle et elle ne distinguait qu'à peine la lueur de convoitise qui brillait dans ses pupilles.

— Il n'est pas trop tard pour changer d'avis, tu sais !

— Bien sûr que si ! dit-elle, le souffle court. En tout cas, pour moi, il n'est pas question de revenir en arrière.

Alors il l'embrassa, la fouillant doucement du bout de la langue. Il fit glisser ses mains derrière ses reins et l'arc-bouta légèrement, de manière à ce qu'elle sente son ardeur contre son ventre.

Elle gémit doucement et, saisissant le moment, le jeune homme approfondit son baiser, s'appropriant ainsi le doux murmure.

Natalie commençait à s'agiter, le corps soudain en proie à une souffrance, aussi délicieuse qu'étrange. Il devait connaître ce genre de manifestation car, en réponse, il fit courir ses mains sur son corps tout entier, effleurant la moindre source d'affliction, sans chercher à l'apaiser le moins du monde. Bien au contraire, il ne faisait qu'intensifier cette douleur mystérieuse et immensément belle.

Elle se mit à murmurer son nom, s'ébrouant sans relâche sur le couvre-pied blanc.

Elle en voulait davantage.

Tout de suite…

Matthew, lui, était beaucoup plus expérimenté qu'elle. Il savait, par exemple, qu'en faisant durer son tourment, il l'emmènerait plus loin dans le plaisir, aiguiserait ses sens, l'aiderait à trouver le siège du nirvana.

Un paradis qu'il connaissait déjà.

Un paradis où l'expérience n'avait plus aucune espèce d'importance.

Un paradis entièrement voué à l'instinct et aux sensations primaires.

Il la caressa, l'embrassa et prodigua mille attentions à ces endroits sensibles…

Jusqu'à ce qu'elle explose…

Jusqu'à ce que, tendant les bras, elle s'approprie son corps, à son tour. Et commence à l'aimer sans barrières, sans paroles, avec ses seules lèvres et sa peau, avec pour seul expédient la sueur, le silence et le désir le plus brut.

A son grand étonnement, elle découvrit qu'elle était incapable de se maîtriser, d'attendre, de quémander ou de s'émerveiller.

Plus tard, peut-être… Plus tard, au cours de cette longue, de cette merveilleuse nuit, trouveraient-ils le temps d'explorer, de titiller, d'alterner, de prendre leur temps.

Plus tard, ils pourraient rire… et peut-être même pleurer.

Pour l'instant, ils n'éprouvaient qu'un besoin : celui de briser le mur qui les séparait. De posséder et d'appartenir. D'aborder ensemble ce havre sacré, où toute solitude cesserait d'exister.

Matthew était un amant magnifique. Il semblait connaître toutes les couleurs, toutes les formes, tous les sons reflétant ses pensées les plus intimes. Quand elle en voulut davantage, ses doigts se firent plus fermes contre elle et sa bouche se referma sur l'un de ses seins, la laissant pantelante.

Et, lorsque, quelques secondes plus tard, elle lui demanda mentalement de se presser, il se dressa au-dessus d'elle.

Enfin, quand, toujours sans prononcer mot, elle le supplia, — « Maintenant, Matthew ! Maintenant » —, il sembla l'entendre également.

Ouvrant son corps, il s'y enfonça brusquement, exerçant une poussée provoquée à la fois par la tendresse et l'excitation.

Elle se mit à crier. Sa complainte était une simple réponse, un mélange de douceur et de feu.

Comme s'il avait approché une allumette d'une brindille sèche, leur passion prit instantanément, les embrasant tout entiers. Et, au cours de l'incendie qui s'ensuivit, tout changea. Les murs s'écroulèrent, les tours s'effondrèrent et toute crainte s'évanouit.

Puis, unis dans le même cri, leurs corps incandescents se fondirent en un seul.

Bien qu'elle soit réveillée depuis des heures, et que le soleil lui indique qu'il était presque midi, elle le laissa dormir.

Il avait besoin de repos. Ils étaient restés éveillés jusqu'à l'aube, se caressant et discutant, plaisantant en terminant la bouteille de whisky. Ils avaient même mangé du beurre de cacahuète, se donnant mutuellement la becquée, du bout de l'index.

Puis, guidés par le même appétit féroce qu'au début de la nuit, ils s'étaient de nouveau étreints, avec la même intensité.

Elle avait perdu le fil du nombre de fois — et de façons — dont il avait enflammé son corps. Jamais encore elle n'avait connu ce genre de plaisir. Il faisait d'elle ce qu'il voulait… Et lorsqu'il était à court d'idées, elle prenait la relève.

Rien qu'au souvenir de cette nuit folle, elle se ressentait toujours de son excitation.

Peut-être avait-elle été plus naïve qu'elle ne le pensait elle-même, après tout. Comparés à cette extase, ses petits fantasmes à dos de moto lui paraissaient soudain ridiculement sages.

Rien dans sa vie n'avait préparé Natalie à un tel feu d'artifice. Matthew était inventif, extrêmement doué et complètement désinhibé. Et il attendait la même chose d'elle. A croire qu'il souhaitait lui insuffler l'expérience d'une vie entière en une seule nuit.

Ils avaient tout de même fini par épuiser leurs corps. Et, enlacés l'un contre l'autre dans une ultime étreinte, ils s'étaient endormis.

Et Matthew dormait toujours.

Elle le considéra un instant, le cœur douloureux.

Il lui paraissait impossible qu'il la quitte aujourd'hui. Pourtant, jamais, au cours de leur odyssée nocturne, aussi longue que sensuelle, il n'avait émis la possibilité de s'attarder plus longtemps.

Elle dut faire un effort surhumain pour quitter la garçonnière. Elle voulait se doucher, s'habiller et préparer, comme d'habitude, le petit déjeuner.

Lorsque la porte de la cuisine s'ouvrit, elle rougit malgré elle. C'était une chose, que de se conduire aussi follement, sous couvert de la nuit. C'en était une autre, et bien différente, que d'affronter le jeune homme, à la lumière du jour, en sachant qu'il avait appris à son propos un nombre de secrets que nul autre ne découvrirait jamais.

Ce n'était pas Matthew, cependant.

La silhouette de Bart se découpa sur le seuil et elle fut grandement soulagée d'avoir mis le bracelet en lieu sûr.

— Salut ! lança-t-elle, espérant que ses joues écarlates passeraient pour un coup de soleil.

— Le bracelet est là, sur le réfrigérateur. Désolée d'avoir mis si longtemps à le retrouver… Tu veux manger quelque chose ?

— Manger ? A cette heure-ci ? s'exclama-t-il, se souvenant, un peu tard, que cela ne le regardait pas.

— Je veux bien un café, rectifia-t-il.

Se dirigeant vers la cafetière, il se servit, avant de revenir s'asseoir devant le plan de travail.

— Je voulais te parler. Matthew est dans les parages ?

— Je ne sais pas, dit-elle en s'efforçant de ne pas se remettre à rougir. Il doit être en train de travailler, quelque part.

— Tant mieux, répliqua Bart. Parce que je voulais te parler seul à seule… De ce bracelet.

Natalie fit volte-face.

— Qu'est-ce qu'il y a encore ? Un des diamants s'en est échappé ? Ne t'inquiète pas pour ça ! Je trouverai bien un moyen de le remplacer.

— Rien de tout cela, Natalie ! Je voulais simplement m'excuser d'en avoir fait toute une histoire… Tu n'as conservé aucun des cadeaux que je t'ai faits, et je… Natalie, je voudrais que tu gardes ce bracelet.

— Ne dis donc pas de bêtises, s'esclaffa-t-elle.

— Je ne dis pas de bêtises ! Au contraire ! Tu en as plus besoin que moi… Ne serait-ce que pour pouvoir le vendre, le jour où cette toiture s'effondrera. Je tiens absolument à ce que tu le gardes.

Natalie sourit avec aménité.

— C'est vraiment gentil de ta part, Bart. Seulement, tu sais très bien que je ne peux pas accepter. Et puis, je ne pourrais jamais le vendre, de toute manière. Il appartenait à ta mère… Je crois sincèrement que tu devrais le garder pour la femme que tu ne manqueras pas d'épouser, un jour ou l'autre.

— Bof… Je me demande…

Il secoua la tête, d'un air désabusé, puis laissa échapper un petit rire.

— Si ma fortune n'a même pas pu m'apporter les faveurs d'une femme aussi fauchée que toi, j'ai vraiment très peu de chances de trouver quelqu'un d'autre, tu ne crois pas ?

Pauvre Bart…

Reposant la cuiller avec laquelle elle remuait sa pâte à crêpes, elle s'avança vers lui.

Quel dommage qu'il ne comprenne pas qu'ils auraient commis une erreur grossière, en se mariant. Jamais elle n'aurait pu envisager avec lui la moitié des gestes qu'elle venait d'avoir envers Matthew.

Or c'eût été une véritable perte pour tous les deux. Bart méritait une épouse qui l'aimât sincèrement. Une femme dont les sens s'enflammeraient, à la moindre de ses caresses, et dont le sang ne ferait qu'un tour, quand elle regarderait ses lèvres, et se remémorerait leurs nuits d'ivresse.

Elle posa une main amicale sur son épaule.

— Tu la rencontreras, un jour ou l'autre. Le tout, c'est que vous soyez faits l'un pour l'autre.

Bart hocha la tête sans conviction.

— A propos… Tu ne devineras jamais qui m'a appelé, l'autre jour !

Elle le considéra avec espoir.

— Terri ?

Bart s'était tourné vers Natalie en désespoir de cause, après que la femme de sa vie, une maîtresse d'école répondant au nom de Terri, eut décidé, au dernier moment, qu'elle ne se plaisait pas à Firefly Glen, et qu'elle n'aimait pas suffisamment le jeune homme pour y demeurer plus longtemps.

Il n'avait été que trop heureux d'offrir sa fortune à Natalie. En échange, il attendait d'elle qu'elle soigne son ego, qu'elle prouve au monde entier que la défection de son premier amour ne l'avait pas brisé.

— Gagné ! Terri !

Il avala une gorgée de son café brûlant, et laissa échapper un soupir.

— Et, je te le donne en mille... Elle affirme avoir beaucoup pensé à moi, ces derniers temps.

Natalie le gratifia d'un sourire ravi.

— Et bien ! C'est plutôt une bonne nouvelle, espèce de vieux grincheux... Ça veut dire qu'elle n'a pas réussi à t'oublier, elle non plus ! Alors je voudrais bien que tu m'expliques ce qui te rend aussi morose !

— Je ne sais pas... Peut-être ne suis-je pas prêt à recommencer tout de zéro... Et si tu veux la vérité, j'en ai un peu assez de me faire plaquer à deux semaines du mariage...

— Ne dis donc pas n'importe quoi ! s'exclama Natalie en lui ébouriffant les cheveux, ce qui, elle le savait pertinemment, avait le don de l'horripiler.

— Allez, Bart ! Saisis ta chance ! Il faut vivre dangereusement... Y'a que ça de vrai, dans la vie, tu sais !

Bart se renfrogna et, en un geste irrité, remit ses cheveux en place.

— Sur ta planète, peut-être... Mais sur terre...

— Je dérange ?

Bart se tourna vers la porte où se tenait Matthew, habillé de pied en cap, beau comme le diable... et terriblement ombrageux.

Natalie considéra un instant le pli amer que formait sa bouche et son cœur se remit à battre la chamade.

— Pas du tout ! rétorqua Bart. Natalie était en train d'essayer de me convaincre de marcher sur la tête pour pouvoir faire passer le chapeau... Je vous en prie ! Interrompez tant que vous le voudrez !

Natalie sourit au nouvel arrivant.

— En fait, j'expliquais à Bart que parfois, dans la vie, il faut saisir sa chance… Pas vrai, Mat ?

Du regard, elle le supplia de dire oui. De lui faire savoir, même d'une manière codée, qu'il ne regrettait en rien ce qui s'était passé la nuit précédente.

— En refusant de prendre des risques, on ne sait pas ce qu'on manque ! ajouta-t-elle.

Matthew soutint son regard, sans flancher.

— Je pense surtout, dit-il, que chacun doit bénéficier de son libre choix !

— Ah ! Merci, m'sieur ! renchérit Bart, d'un air ravi. Je lève ma tasse à votre bon sens !

Se sentant légèrement déboutée, Natalie prit une longue inspiration et se tourna vers sa pâte à crêpes.

La matinée s'annonçait beaucoup plus rude qu'elle ne l'avait envisagée. Toutefois, elle avait appris une chose : elle n'avait pas autant d'imagination qu'elle le pensait.

Jamais, par exemple, n'aurait-elle pu envisager un seul instant qu'un festival semblable à celui de la nuit précédente fût possible.

Pas plus, d'ailleurs, qu'elle ne se serait crue capable d'aimer un homme autant qu'elle aimait Matthew.

Elle savait qu'il allait partir. Cela revenait à voir un objet précieux tomber sur le sol, au ralenti. On était conscient qu'on allait le perdre à tout jamais, sans pouvoir pour autant remédier à la situation. Tout ce qu'on pouvait faire, était de regarder, figé d'angoisse, et complètement impuissant, le désastre se produire.

S'efforçant d'adopter un ton normal, elle demanda :

— Tu as faim, Matthew ? J'ai des œufs, des muffins, des…

— Non merci, répondit-il sobrement. Je dois me mettre en route.

Elle se retourna alors et constata qu'il avait son sac en main. Et, en dépit de sa détermination à ne pas faire de scène, elle laissa échapper un gémissement.

— Maintenant ?

Elle secoua lentement la tête.

— Tu n'es pas obligé de partir tout de suite, si ?

— Je crois que ce serait préférable…

Bart semblait perplexe.

— Vous voulez dire que vous partez… définitivement ?

Matthew se tourna vers lui.

— Oui. Définitivement.

— Eh bien… Si on m'avait dit que… Tu étais au courant, Natalie ?

Comme elle restait sans voix, Matthew répondit pour elle.

— Natalie et moi sommes tombés d'accord là-dessus, hier soir. Nous avons tous deux décidé qu'il était temps que je m'en aille.

Bart s'éclaircit la gorge nerveusement.

— Ecoutez, Matthew…

Puis il se tut, apparemment à court de mots. De nouveau, il se lissa nerveusement les cheveux, et recommença.

— Je n'ai pas assisté à la soirée de Natalie, la nuit dernière, de sorte que je ne sais pas exactement ce qui s'est passé. Cependant, comme vous pouvez vous en douter, j'ai entendu des rumeurs… Et si vous partez à cause de Jocelyne Waitely, je crois qu'il est important que vous sachiez qu'elle représente une minorité, dans cette ville. Je ne dis pas que Firefly Glen n'héberge pas sa part de mauvaises langues, cependant, pour la plupart, nous ne les écoutons en aucun cas… Et j'espère sincèrement que vous ne vous laisserez pas atteindre, vous non plus.

Matthew eut un petit sourire.

— C'est vraiment gentil de votre part, Bart, dit-il avec emphase. Permettez-moi simplement de vous préciser que mon départ n'a que très peu de rapports avec les accusations de Jocelyne Waitely. Il s'agit plutôt d'une décision… personnelle.

Là-dessus, il se tourna vers Natalie, qu'il considéra d'un regard sombre.

De toute évidence, sa grasse matinée ne l'avait que très modérément reposé.

— Quoi qu'il en soit… J'étais simplement venu te dire au revoir. Et te remercier… De m'avoir embauché. D'avoir tenu tes promesses. Et bien sûr… de…

Il s'interrompit.

— Merci pour tout.

D'avoir tenu ses promesses.

Subitement, Natalie se rappela lui avoir promis, assez stupidement, qu'elle n'essaierait pas de le retenir.

Elle le gratifia d'un sourire forcé. Elle ne le voyait plus très bien de toute manière, car ses yeux se remplissaient de larmes.

— Au revoir, Matthew…, répondit-elle, le cœur gros.

Avait-elle adopté un ton suffisamment normal ? Entre personnes dont le cœur n'était pas brisé, s'entend…

— Je te souhaite de trouver ce que tu cherches… Par ailleurs, tu n'as pas à me remercier de quoi que ce soit… Comme tu le sais, et j'espère que tu ne l'oublieras jamais, tout le plaisir a été pour moi…

Une seconde, elle crut voir son regard s'embraser. Hélas, avant qu'elle ait eu le temps de s'en assurer, il avait déjà réprimé toute forme d'émotion. Et il n'ajouta pas une parole, visant à lui montrer qu'il l'avait comprise, à demi-mot.

Se contentant de sourire poliment, il glissa son sac sur son épaule et hocha la tête en direction de Bart.

Puis il disparut dans la lumière aveuglante.

16.

En dépit de ses pensées qui la ramenaient constamment à Matthew, à la nuit précédente, à son expression, sur le seuil de la cuisine, ce matin-là, Natalie parvint à passer une journée relativement productive.

Dès que Bart fut parti travailler, la laissant seule et légèrement hébétée, elle se força à affronter la réalité.

Elle avait le choix : ou bien elle se lançait immédiatement dans une activité à la fois fructueuse et récréative, ou elle s'écroulait sur le carrelage de la cuisine, et, prenant sa tête entre ses mains, s'abandonnait au chagrin, une semaine entière.

Or, cela ne servirait à rien. Ses sanglots, aussi gros fussent-ils, ne lui ramèneraient pas Matthew. Et, lorsqu'elle se relèverait, épuisée et défigurée, elle aurait perdu une semaine.

Aussi décida-t-elle de prendre la situation en main.

Après avoir jeté à la poubelle le petit déjeuner, auquel personne n'avait touché, elle sauta dans sa voiture et descendit à la bibliothèque où elle s'absorba dans la lecture de documents historiques.

Au bout de quelques heures, elle avait réussi à collecter deux ou trois anecdotes inédites, concernant l'histoire du *Pavillon d'Eté*. Elle prit de longues notes, les consignant dans un des petits carnets qu'elle avait déjà remplis d'informations similaires.

Une fois rentrée chez elle, elle appela divers antiquaires, avec qui elle prit rendez-vous. Elle voulait leur soumettre les robes du début du siècle, ainsi que la vaisselle des années vingt et quelques jeux de cartes rarissimes.

Au total, elle pensait pouvoir en tirer une somme rondelette. Suffisamment pour pouvoir refaire le système électrique des chambres, du moins elle le supposait.

Le toit, lui, devrait attendre qu'elle ait découvert une nouvelle pièce secrète.

Le soir venu, force lui fut de constater que le fait de s'absorber dans le travail, profitant au *Pavillon d'Eté,* l'avait partiellement aidée à surmonter son chagrin. Au pire, cela lui avait évité de rester assise, à broyer du noir.

Il était hors de question qu'elle se laissât aller au désespoir. Après tout, elle n'était pas une adolescente, totalement prise de court par la défection de son petit ami... Non. Natalie était une femme adulte, avec des obligations, des amis, du courage...

Bref, de la ressource...

Et puis, elle devait penser au *Pavillon d'Eté.* Le plus important, à présent, était de sauver cette propriété et elle se promit de trouver un moyen pour y parvenir, même si, en chemin, elle devait verser quelques larmes de regret.

En digne descendante des Granville, elle refusait de baisser les bras.

Malgré tout, lorsque le coucher du soleil, magnifique, ce soir-là, avec ses nuances cuivre et bronze, fit place à la nuit, la maison se remplit d'ombres diverses et fut soudain plongée dans un silence cryptique. Elle comprit alors que sa belle détermination risquait de ne pas suffire.

Elle envisagea un instant de se préparer un dîner froid, de choisir un roman et d'aller passer la nuit dans la garçonnière, aux dimensions plus humaines, avant de rejeter cette idée, qui lui semblait trop passive, trop pathétique.

Pour quoi se rendre là-bas, de toute manière ? Pour musarder, embrassant l'oreiller où Matthew avait posé la tête, reniflant le T-shirt qu'il avait laissé derrière lui ? Pour revivre leur folle nuit, passant en revue tous les détails érotiques, jusqu'à en perdre la raison, tant elle le désirait, tant elle avait besoin de lui, tant il lui manquait ?

Pas question !

Elle décrocha le téléphone de la cuisine et appela Stuart, qui, s'il parut surpris d'avoir de ses nouvelles aussi tôt, accepta de bon cœur son invitation à dîner.

Quelque peu ragaillardie, elle monta alors se changer.

La soirée s'annonçait déjà beaucoup plus prometteuse. Certes, Stuart n'était pas Matthew, loin s'en fallait, mais il était d'une compagnie agréable.

De plus, il faisait partie intégrante du programme de guérison multidimensionnel qu'elle avait l'intention de mettre en œuvre, sur-le-champ.

L'action.

Il n'y avait que cela de vrai, surtout pour une Granville.

Le lendemain matin, chez Théo, Matthew prenait son petit déjeuner, en face d'un Granville Frome, d'humeur ronchonne.

— Je n'aime pas beaucoup cela ! dit le vieillard, contrarié. Je ne comprends pas très bien ce qui se passe... toutefois, une chose est certaine, cela ne me plaît pas ! Je vous avais expressément demandé de ne pas faire de mal à cette petite. Et, malgré toute l'affection que j'ai pour vous, Quinn, j'espère que je ne vais pas être obligé de vous botter les fesses !

Matthew laissa échapper un petit sourire.

— A mon avis, vous devriez plutôt accepter l'idée que Natalie et moi-même avons pris la bonne décision, dit-il. Après ce qui s'est passé à la soirée…

— Vous parlez du moment où Nat a remis Jocelyne Waitely à sa place ?

Granville donna un grand coup sur la table, faisant basculer le vase, ce qui lui attira les foudres de Théo.

— Bon sang ! Je savais que cette petite avait du cran, mais à ce point… Elle s'est comportée en véritable Granville ! L'espace d'une seconde, j'ai crû revoir son grand-père, dans ce regard courroucé !

— C'est quelqu'un, n'est-ce pas ?

— Un peu ! Il faut dire que les Granville ont toujours été des battants… Face à elle, cette vieille bique de Jocelyne n'avait pas une chance.

Il considéra soudain son interlocuteur, d'un regard vif.

— C'est pour cela que vous quittez la ville ? Parce que vous croyez que Nat a été bouleversée par les accusations de Jocelyne ? Je vous en supplie, mon garçon… Ne lui faites pas cet affront ! Natalie sait reconnaître un déchet quand elle en voit un, et, croyez-moi, elle n'est pas du genre à s'en encombrer…

— Je vous ai déjà dit que Jocelyne n'était pas la seule raison de mon départ.

— Dans ce cas… Enumérez-moi les autres !

Bien que Matthew ne souhaitât pas faire preuve de grossièreté, il refusait d'entrer dans ce genre de débat.

— C'est strictement personnel. Et cela restera entre Natalie et moi : je n'ai pas l'intention d'en discuter avec qui que ce soit d'autre !

Relevant la tête, il regarda l'irascible vieillard avec franchise.

— Aussi, si vous voulez me botter les fesses avant que nous abordions le sujet qui nous intéresse, faites-le tout de suite !

Granville étouffa un petit rire et ses yeux se radoucirent.

— Décidément, Quinn, vous me plaisez énormément !

Il enfourna une énorme bouchée de crêpe et considéra son interlocuteur d'un air finaud.

— Alors... Pourquoi m'avez-vous fait venir ? Quelle est cette fameuse affaire dont vous vouliez m'entretenir ?

Matthew reposa sa tasse.

— Je voulais que vous sachiez que Natalie a besoin d'aide... Cette satanée maison tombe en ruine.

Il savait qu'en se mêlant ainsi de ce qui ne le regardait pas, il risquait d'agacer le vieil homme. Toutefois, cela lui était égal. Il ne travaillait plus au *Pavillon d'Eté*. En revanche, il aimait beaucoup Natalie, et refusait de quitter la ville sans avoir tenté de faire quelque chose pour sa sauvegarde.

— A quel genre d'aide pensez-vous ? demanda Granville en mâchonnant ses crêpes.

— Financière, bien entendu ! D'après ce que j'ai compris, ce n'est pas l'argent qui vous manque !

— Je ne suis pas assez fortuné pour réparer ce mausolée ! expliqua Granville. Aucun particulier ne le serait. Sauf, peut-être, Bart Beswick... Or, comme vous le savez, elle l'a envoyé promener...

— Vous n'êtes pas obligé de remettre la propriété en état, de fond en comble ! Contentez-vous d'y apporter des améliorations... De faire en sorte que ce ne soit plus un véritable traquenard !

— Et ce n'est pas le cas ? s'étonna Granville, les sourcils en l'air. Je trouvais bien qu'elle avait l'air un peu délabré, toutefois jamais Natalie n'a fait la moindre allusion à un danger quelconque !

— C'est pourtant le cas. Cette maison regorge de pièges. Les escaliers sont pourris… Le toit est sur le point de s'écrouler et les installations électriques de trois des chambres sont tellement précaires qu'elles risquent de provoquer un incendie à la moindre étincelle. En un mois, j'ai vu, de mes propres yeux, Natalie manquer de se tuer à une bonne demi-douzaine de reprises !

— Dans ce cas, pourquoi partez-vous ?

Bon sang ! Ce vieux barbon ne s'avouait-il donc jamais vaincu ? Il était décidé à connaître les raisons du départ de Matthew, et il ne reviendrait pas là-dessus.

— Si la situation est si désastreuse, pourquoi ne pas rester ? insista Granville, levant encore plus haut ses sourcils broussailleux. D'après ce que vous me dites, il me semble qu'elle a le plus grand besoin de son homme à tout faire !

— Un homme à tout faire ne suffit pas… Dix ne suffiraient pas ! Ce qui lui faut, c'est de l'argent. De l'argent et une équipe de professionnels… J'ai cru comprendre que vous étiez la seule famille qui lui restait. A ce titre, vous réussirez peut-être à la convaincre de faire classer la propriété comme monument historique… Cela lui sera plus facile, si elle comprend que ça ne risque pas de provoquer une crise d'apoplexie chez un membre de sa famille !

Au départ, Matthew n'avait nullement eu l'intention de se montrer aussi catégorique.

En fait, il s'efforçait de rester serein, de gagner du temps. Il avait décidé de reporter autant que possible le moment où il devrait analyser ses propres sentiments. Et il avait conscience qu'une fois qu'il aurait quitté la ville, il souffrirait, de la manière la plus cruelle.

— Excusez-moi, je ne voulais pas m'emporter, bredouilla-t-il. Je suis très inquiet, voilà tout.

Néanmoins, et à son grand étonnement, Granville ne semblait pas froissé le moins du monde.

S'essuyant la bouche d'un geste large, il se laissa retomber sur le dossier de sa chaise.

— Pour qui me prenez vous, au juste, mon garçon ? Vous vous imaginez peut-être que je n'ai pas essayé de lui donner un coup de pouce, et cela plus souvent qu'à mon tour ? Malheureusement, elle n'a jamais voulu en entendre parler !

— Enfin... C'est absurde ! Obligez-la à accepter !

Granville le gratifia d'un petit sourire finaud.

— On voit bien que vous n'avez jamais essayé de lui forcer la main ! Quand cette gamine a une idée en tête, il est inutile d'essayer de la faire changer d'avis !

Un petit rictus aux lèvres, il s'imprégna des implications de sa propre déclaration.

— Ce qui est une bonne chose, d'ailleurs. Une excellente chose même, si vous voyez ce que je veux dire... Enfin... Quoi qu'il en soit, je peux vous affirmer que nul ne la fera jamais changer d'avis. Que voulez-vous ? C'est comme ça, chez les Granville !

Matthew se leva. Le vieillard commençait à radoter, à parler par énigmes, pour faire durer la conversation et le déjeuner un peu plus longtemps.

Et puis Granville Frome n'était pas idiot. Il allait filer de ce pas jusqu'au *Pavillon d'Eté*, fouiner çà et là et découvrir ce que Natalie avait essayé de lui cacher.

Il se tiendrait sur ses gardes, ce qui rassurait profondément le jeune homme.

Matthew avait dit ce qu'il avait à dire.

A présent, il était temps de partir. Comme il l'avait expliqué à Natalie, plus il s'attarderait, plus il lui serait difficile de s'arracher à la petite ville.

Il tira de son portefeuille un billet de vingt dollars, pour payer l'addition, et le posa sur la table.

— Je me moque de savoir comment vous allez vous y prendre pour amener Natalie à accepter votre aide. C'est votre problème. Seulement ne me dites pas que c'est impossible !

En souriant d'un air affable, il tendit la main au vieil homme, en manière d'adieu.

— Après tout, vous aussi, vous êtes un Granville !

De retour à sa chambre d'hôtel, il passa un dernier coup de téléphone.

Il dut attendre dix longues sonneries avant que sa sœur décroche enfin, hors d'haleine.

— Salut, Maggie ! C'est déjà la cohue, au restaurant ?

— Matthew ! Pas du tout ! En fait, j'avais les mains pleines de céleri. Comment vas-tu ? Où es-tu ?

Il attendit patiemment qu'elle se remette de sa surprise, qu'elle se répande en amabilités, lui pose ses sempiternelles questions sur son état de santé, son état moral, son travail, et lui demande s'il avait besoin de quelque chose.

D'ordinaire, le côté mère poule de sa sœur ne le dérangeait pas outre mesure. Il lui était aussi familier qu'un vieux blouson de cuir. Et bien qu'elle en fasse parfois trop, il savait qu'il avait de la chance d'avoir une famille aimante.

Durant son incarcération, il avait vu un bon nombre d'hommes aux yeux vides, entièrement seuls au monde. Lorsqu'ils sortaient de prison, c'était pour y revenir aussitôt : ils n'avaient tout simplement pas leur place ailleurs.

Aussi était-ce un bien modeste prix à payer que de répondre à quelques questions innocentes. Du moins, il savait qu'il n'était pas seul, lui. Quelqu'un, quelque part, pensait à lui, lui souhaitant le meilleur.

Cependant, ce jour-là, il n'eut pas la patience. Il devait s'acquitter d'une tâche désagréable, et mieux valait en finir le plus rapidement possible.

Aussi, interrompant délicatement la litanie de sa sœur, demanda-t-il :

— Dis-moi, Maggie… Denis est là ? J'aimerais lui parler !

De toute évidence, cette idée déplaisait à la jeune femme. Denis et lui ne s'étaient jamais vraiment bien entendus, Denis trouvant son beau-frère trop policé, trop riche et trop superficiel. Et, bien qu'il s'efforçât de le cacher, il pensait, en son for intérieur, que Matthew avait bien mérité de terminer en prison, ne serait-ce que pour s'être montré aussi imbu de sa petite personne.

Matthew songea que Denis serait certainement ravi d'apprendre qu'il était entièrement d'accord avec lui, du moins sur ce point.

— De quoi veux-tu lui parler ?

— Passe-le-moi, Maggie, tu veux ? Il t'expliquera tout par la suite.

Un silence s'ensuivit, puis Matthew entendit quelques murmures, au moment où le combiné changeait de main.

— Bonjour, Matthew !

Se détournant un instant de l'appareil, Denis s'adressa à sa femme.

— Je te promets que je te raconterai, ma chérie ! Pour l'instant, je t'en supplie, retourne t'occuper du céleri, sinon ça va être l'émeute, à midi !

— Désolé, reprit-il à l'égard de son correspondant. Il paraît que tu désires me parler ?

— C'est exact. Et comme c'est toi qui m'as proposé cet emploi, dans ton nouveau restaurant, j'ai pensé que je devais t'avertir en premier… Je tiens à ce que tu saches à quel point j'apprécie ton offre, Denis. C'est vraiment gentil de ta part. Je sais que tu l'as fait par égard pour ma sœur, et je n'oublierai jamais cela. C'est bon de savoir que l'homme qu'elle a épousé la soutient, dans l'adversité !

Denis hésita un instant. Il était assez vif et Matthew devinait aisément ses pensées.

— Mais ? lança-t-il enfin.

— Mais je ne peux pas accepter.

Il s'interrompit, pour laisser à son beau-frère le temps de crier son éventuelle indignation, en vain. Denis garda le silence, attendant, lui aussi.

— J'ai beaucoup réfléchi, depuis ma libération, reprit alors Matthew. Et je pense honnêtement que mon avenir n'est pas dans la gérance d'un restaurant. Ne te méprends pas sur mes propos, cependant ! C'est un emploi tout à fait honorable... Seulement ce n'est pas pour moi. Je ne serais sans doute ni très doué... Ni très heureux.

Le bonheur.

Quelle nouveauté...

A son arrivée en prison, Matthew avait été tellement amer et désillusionné qu'il croyait avoir perdu tout goût à la vie.

Et il en était toujours de même, à sa sortie.

Il savait ce qui avait changé.

Natalie était passée par là. Elle lui avait redonné le goût de vivre.

Au cours des quelques semaines qu'ils avaient passées ensemble, elle lui avait beaucoup appris, s'il y réfléchissait bien... Elle lui avait démontré que le cynisme et l'amertume constituent une forme de lâcheté. Et elle lui avait prouvé qu'ouvrir son cœur, aimer autrui, même si, ce faisant, on prenait le risque de souffrir, est, de loin, beaucoup plus courageux que de se retrancher dans une coquille d'indifférence désespérée.

Aussi avait-il pris la première décision courageuse de sa nouvelle existence.

Il ne pouvait se contenter d'une vie de misère, qui ne lui convenait en rien. Au contraire, il devait continuer à chercher, jusqu'à ce qu'il ait trouvé sa voie.

— Ne prends surtout pas cela pour de l'ingratitude, Denis. Mets plutôt cela sur le compte d'une certaine honnêteté. Je ne serais pas à la hauteur... C'est bien souvent le cas, quand les gens ne se plaisent pas dans leur travail... Et ce ne serait pas très honnête envers Maggie et toi !

— Pour tout t'avouer, Matthew, c'est ce que j'ai toujours pensé, répondit calmement Denis. Ta sœur, en revanche, était convaincue du contraire et j'ai dû m'incliner. Après tout, elle te connaît mieux que moi !

Il s'interrompit un instant, se raclant la gorge.

— Alors, tu as une idée de ce que tu vas faire ? Ton petit boulot saisonnier s'est-il transformé en emploi permanent ?

— Non... J'en ai terminé avec ça. Cela dit, j'ai trouvé cela beaucoup plus agréable que je ne le pensais. J'avais déjà un peu travaillé dans le bâtiment, tu sais, l'été... Quand j'étais lycéen, puis, plus tard, pendant mes études. J'aimais assez cela et j'ai trouvé que c'était plutôt gratifiant, cette année aussi.

— Gratifiant ? pouffa Denis. On ne gagne pas des mille et des cents, dans ce genre de boulots !

Matthew ne put réprimer un sourire, en songeant aux sommes folles qu'il gagnait chaque mois, autrefois. Parfois, il ne savait même pas comment les dépenser... En une seule matinée de conseil financier, il lui était arrivé de se faire plus d'argent qu'en un mois entier, chez Natalie Granville.

— Certes ! Seulement, tu veux que je te dise ? Je crois que mon histoire d'amour avec l'argent est terminée.

— Tant mieux pour toi ! lança Denis, d'un ton un peu plus chaleureux. Bien ! Il ne me reste plus qu'à te souhaiter bonne chance, Matthew. Et sois certain que nous ne te tiendrons pas rigueur d'avoir refusé ce poste ! Si jamais tu changes d'avis, il sera toujours vacant, pour toi !

— Merci !

— Je vais annoncer la nouvelle à Maggie moi-même, d'accord ? Inutile de payer une communication aussi coûteuse pour l'entendre te supplier… Je sais comment elle fonctionne, Matthew… J'arriverai à lui faire comprendre que c'est aussi bien ainsi !

— Merci. Cependant, fais en sorte qu'elle sache…

— Combien tu l'aimes ? s'esclaffa Dennis. Ne t'en fais pas, mon vieux. Elle le sait déjà. Et si tu m'autorises à lui annoncer ta visite prochaine, je suis sauvé… C'est tout ce qu'elle a envie d'entendre !

— Je viendrai, promit Matthew. Dis-lui que je viendrai vous voir dès que j'aurai organisé mon avenir.

L'avenir.

Pour la première fois en trois ans, Matthew avait réellement l'impression d'avoir un avenir devant lui. Avec un peu de chance, et beaucoup de temps, peut-être réussirait-il même à refaire carrière… A vivre décemment en se lançant dans une activité dont il serait fier.

Oui. Un jour peut-être, il mènerait une existence complètement différente.

Et puis, qui sait ? Peut-être cette existence serait-elle suffisamment honorable pour qu'il puisse inviter une femme à la partager avec lui…

Ce tableau optimiste comportait un seul défaut.

Matthew ne voulait pas passer sa vie auprès de n'importe quelle femme.

C'était Natalie, qu'il voulait.

Et, d'ici là, il serait beaucoup trop tard…

*
* *

Deux heures plus tard, alors que sa voiture se rapprochait de la route de Vanity Gap, la bataille entre son cœur et sa raison se déclencha.

Il devrait à tout prix poursuivre son chemin. Passer devant la bifurcation, sans tourner la tête, et cela jusqu'à ce qu'il l'ait dépassée.

Il n'avait aucune raison de s'engager sur le Chemin du Pin Bleu.

Aucune raison au monde de retourner au *Pavillon d'Eté.*

Son cœur, lui, ne semblait pas être de cet avis. Il fallait qu'il fasse le détour, ne serait-ce que pour donner à Natalie le nom de sa sœur et ses coordonnées...

Sans quoi, comment la jeune femme pourrait-elle le contacter, en cas de besoin ?

« Balivernes ! » ricana sa raison. En cas de besoin de quoi, au juste ?

Si jamais elle tombait, il ne serait pas là pour la rattraper... Il se trouverait à des centaines de kilomètres de là !

Si elle avait besoin de quelqu'un pour réparer cette fichue installation électrique ? Il serait bien trop loin !

S'il lui fallait un million de dollars pour réparer la demeure familiale ?

La bonne blague...

Aussi, en quoi Natalie Granville pouvait-elle bien avoir besoin de lui ? Il n'avait rien à lui apporter.

Strictement rien.

Son cœur entêté refusait toujours d'abandonner la partie, néanmoins.

Il était parti si brusquement, la veille... Il avait fait preuve d'une lâcheté indigne de lui et de ce qu'ils avaient partagé. Et s'il était parti ainsi, c'était parce qu'il avait redouté un tête-à-tête. Parce qu'il avait craint que, d'une manière ou d'une autre, avec ses petits sourires en coin, ses mains graciles ou sa douceur naturelle, elle parvienne à le convaincre de rester, ne serait-ce qu'une nuit supplémentaire.

Ne méritait-elle pas un adieu, digne de ce nom ? Après tout ce qu'elle lui avait donné… l'espoir d'une vie meilleure, le respect de lui-même, un regain de courage…

A la vérité, si ! Il lui devait bien un adieu digne de ce nom !

S'il lui devait vraiment quelque chose, rétorqua sa raison, c'était bien de la laisser tranquille. De faire en sorte qu'elle l'oublie, et le plus vite possible. De lui permettre de capitaliser cette beauté invraisemblable, cette force incroyable et tout l'amour qu'elle renfermait en elle, pour les offrir à un autre homme.

Un homme plus digne d'elle.

Un homme qui aurait la force, le courage *et* l'argent suffisant pour la sauver d'elle-même.

Pas cet homme à terre, se présentant à sa porte, à la recherche de sa propre rédemption.

Chemin des Pins Bleus, indiquait le panneau, sur sa droite.

Et subitement, comme ça, il décida de ne plus tenir compte de cette bataille discordante entre sa raison et ses sentiments.

Au diable la logique… Il s'était mis dans un tel état de confusion qu'il ne parvenait plus à distinguer le bien du mal.

En un effort surhumain, il prit la décision de lâcher les rênes.

… Et de se laisser guider par son instinct.

Une décision, songea-t-il, amusé, qui ressemblait étrangement aux impulsions des Granville.

Braquant doucement le volant, il s'engagea sur le chemin de traverse.

17.

C'était une de ces journées où, en contemplant le ciel bleu porcelaine, on aurait pu se laisser bercer par l'idée que l'été durerait éternellement.

Ivres de soleil, les oiseaux sautillaient ouvertement sur les pelouses. Les roses laissaient retomber leurs lourdes têtes, le rouge de leurs pétales maculant, comme des taches de sang, l'herbe verte. Le ruisseau argenté, dont le flux n'avait cessé de diminuer de la saison, révélant des rochers luisants et des cailloux polis par les ans, était à présent si étroit qu'on pouvait le traverser d'une seule enjambée.

Dans la petite ville de Firefly Glen, les gens restaient chez eux, retardant le moment de s'acquitter des travaux de plein air jusqu'à la tombée du jour… ou jusqu'au lendemain.

Bras dessus bras dessous, Natalie et Stuart sortirent lentement sur la terrasse avant du *Pavillon d'Eté*.

La jeune femme laissa échapper un petit soupir paisible. Elle savait qu'il n'en était rien, que l'été prendrait forcément fin : tout avait toujours une fin. Pourtant, pour la première fois de sa vie, elle ne s'en souciait pas vraiment.

Pour avoir vécu à l'ombre de ces montagnes toute son existence, elle savait qu'un beau matin, dans quelques semaines, à son réveil, l'air aurait une qualité différente. Et qu'un oiseau d'une espèce différente chanterait sous sa fenêtre… Que l'une des feuilles de l'érable aurait pris une teinte auburn.

Puis deux.

Et, comme par magie, l'automne s'installerait autour de la petite communauté.

Puis viendrait l'hiver.

Or, lorsqu'on habitait une demeure comme la sienne, avec ses fenêtres brisées, sa plomberie antédiluvienne et ses factures de chauffage exorbitantes, la perspective de l'hiver était toujours terrifiante.

Pas cette année, néanmoins, songea-t-elle avec une certaine légèreté. Pas cette année, et pas pour elle.

Sur un coup de tête, elle se tourna et étreignit si fort son ami qu'il s'en étonna.

— Qu'est-ce qui te prend ?

— Rien ! Je voulais seulement te montrer à quel point je suis heureuse… Et te remercier de m'avoir aidée dans mon entreprise.

Il lui sourit affectueusement.

— Tu sais bien que je suis toujours ravi de te rendre service !

Natalie laissa doucement rouler sa tête sur l'épaule du jeune homme, et tous deux s'absorbèrent dans la contemplation de la propriété qui s'étirait à l'infini devant leurs yeux.

A quand remontait la dernière fois où elle avait pu la regarder ainsi, sans angoisse aucune, sans sentiment d'impuissance, sans que la beauté en soit ternie par la pensée des multiples réparations à faire, de toutes les factures que cela entraînerait ?

C'était un véritable plaisir. Volé, peut-être. Malgré tout, le domaine restait d'une beauté incomparable.

Quel bonheur, que d'être enfin capable de l'apprécier à sa juste valeur !

Et, parce que la journée était exceptionnellement calme, personne n'ayant eu l'énergie de mettre en marche la moindre tondeuse à gazon ou le moindre tracteur, elle entendit la voiture de Matthew remonter l'allée, bien avant de la voir arriver.

Elle songea brièvement qu'il était fort curieux qu'une femme comme elle, qui ne connaissait absolument rien aux voitures et s'en moquait éperdument, soit capable d'identifier le bruit de ce moteur, en particulier.

Pourtant, elle savait qu'elle ne se trompait pas : son cœur s'était mis à battre la chamade, dans sa poitrine — à la fois d'une espérance folle et de la crainte d'espérer en vain.

Lorsqu'il s'arrêta devant la maison, elle comprit qu'il les voyait, tous deux, sur la terrasse. Et, même de cette distance, elle sentit que la surprise le faisait reculer.

De toute évidence, il n'aimait pas beaucoup la voir dans les bras d'un autre homme.

Ça, il aurait pu s'en douter : ce n'est pas parce qu'il avait réussi à la quitter sans se retourner, qu'il pouvait pour autant effacer de sa mémoire l'image de sa main sur sa peau, de son cœur de femme amoureuse, battant contre le sien ! Ou qu'ils oublieraient jamais le lien qui les unissait l'un à l'autre…

Il sortit lentement de voiture et commença à remonter l'allée. Se détachant de Stuart, Natalie recula d'un pas. Non qu'elle eût quoi que ce soit à cacher, mais, même à présent, l'idée de blesser Matthew lui était insupportable.

— Bonsoir ! lança-t-elle.

— Bonsoir, renchérit Stuart. Je suis content de vous voir, Quinn ! Je ne voulais pas que vous partiez sans que j'aie eu l'occasion de vous saluer !

Les yeux de Matthew luisaient d'une lueur profonde et étrangement sereine.

— Je repars immédiatement. Je suis passé dire quelque chose à Natalie.

Stuart le considéra avec un petit sourire finaud.

— Vous tombez à pic ! Je m'en allais, justement. Pas vrai, Natalie ?

Comme elle acquiesçait, il l'interrogea du regard.

— On annonce la bonne nouvelle à Matthew ?

— Non, répondit-elle. Je préfère la lui annoncer moi-même. Je suis certain que tu comprendras…

— Bien sûr, fit Stuart, sans se départir de sa bonne humeur. Aucun problème.

Se penchant en avant, il l'étreignit brièvement, et Natalie se demanda si elle avait réellement vu Matthew se raidir.

Stuart fit un petit clin d'œil au visiteur et, après l'avoir salué d'un air sardonique, descendit joyeusement les marches de l'escalier pour regagner sa petite voiture de sport.

— Bon voyage, Quinn ! Et toi, Natalie, à plus tard !

Natalie et Matthew regardèrent tous deux le véhicule disparaître dans l'allée, en s'attardant plus longtemps que nécessaire.

Elle finit par se tourner vers lui, un sourire forcé aux lèvres. Il était sous son toit, après tout, et elle connaissait ses devoirs d'hôtesse.

— Je suis ravie que tu sois venu, dit-elle simplement.

Un véritable euphémisme, toutefois ; aucun mot n'aurait suffi à exprimer ses sentiments et il lui paraissait vain d'essayer.

— C'est vrai ? demanda-t-il sans lui rendre son sourire.

— Bien sûr. Notre dernier adieu a singulièrement manqué de panache, tu ne trouves pas ? Rentrons… J'ai l'impression qu'il fait de plus en plus chaud.

— Pas la peine. Je n'en ai pas pour longtemps.

— Comme tu veux.

Elle s'assit sur la balustrade, étendit ses longues jambes sur le bord de marbre, appuya son dos contre l'une des colonnes recouvertes de chèvrefeuille, et le regarda droit dans les yeux.

— Que voulais-tu me dire ?

— Je…

Il secoua la tête, l'air de se demander ce qu'il faisait là.

— Je crois que moi aussi, j'ai trouvé que cet adieu était un peu… court.

— C'est gentil de ta part !

Arrachant une feuille de la plante grimpante, elle se mit à l'enrouler machinalement autour de son doigt.

— Surtout pressé comme tu l'étais, de quitter notre petite ville !

Il ne lui faisait pas vraiment face. Son regard courait sur l'étendue, devant lui, d'un air si sombre qu'on aurait dit qu'il détestait jusqu'aux arbres et aux moindres brins d'herbe recouvrant la propriété.

— Apparemment pas aussi pressé que toi de…

Natalie souleva les sourcils. Ses doigts se figèrent, la feuille suspendue dans l'air.

— De quoi ?

— Rien.

Matthew se mit à arpenter la terrasse, puis revint vers elle.

— Stuart disait que vous aviez une nouvelle à m'annoncer. Alors ? On peut savoir ?

Elle recommença à jouer avec le chèvrefeuille.

— Je ne sais pas trop… Quand je te vois dans cet état, je me demande ! Qu'est-ce qui te met tellement en colère, Matthew ? Tu ne veux pas te réjouir avec moi de la nouvelle que j'ai à t'annoncer ?

— Bon sang, Natalie ! s'écria-t-il, se passant une main lasse sur le visage. Tu penses vraiment que j'ai de quoi me réjouir ?

— Oui ! dit-elle d'un ton égal. Si je me souviens bien, tu as toujours prétendu que mon bonheur comptait beaucoup pour toi !

— C'est exact !

Il laissa échapper un petit grognement.

— C'est tout à fait vrai, Natalie. Seulement c'est... Tellement soudain... Ça m'a causé un sacré choc !

— Quoi ?

— Stuart et toi... Ensemble... Le fait de découvrir que, de toute évidence, vous êtes parvenus à un... à un accord... Ce n'est pas le cas ?

— En fait, si ! Mais « de toute évidence », comme tu dis, tu ignores totalement de quoi il s'agit !

— Ça m'étonnerait !

— Eh bien tu te trompes, lança Natalie en sautant de son perchoir.

— Attends-moi ici. Je vais te montrer !

Fort heureusement, elle avait laissé les documents dans l'entrée et il ne lui fallut que quelques secondes pour les retrouver.

Ressortant sous le soleil éblouissant, elle s'avança vers lui et lui tendit l'épais dossier.

— Tiens ! Le voilà, notre arrangement !

Il s'en empara, l'air passablement intrigué.

— Qu'est-ce que c'est ?

— Lis ! J'ai du travail, dans la garçonnière... Si tu te sens coupable d'avoir conçu de tels soupçons à mon égard, quand tu en auras terminé — et à mon avis, ce sera le cas —, tu pourras toujours venir t'y excuser !

— Natalie...

Ignorant sa supplique, la jeune femme se détourna. Le document comportait soixante-dix-sept pages et il devrait en lire une bonne partie avant de bien comprendre ce que Stuart et elle avaient fait.

Autant aller travailler un peu. Elle souhaitait ardemment que la garçonnière soit propre comme un sou neuf.

Matthew dut se contenter de parcourir le dossier, car moins d'un quart d'heure plus tard, tandis qu'elle finissait de nettoyer la baignoire, dans la salle de bains romaine, elle l'entendit s'approcher.

— Natalie ? cria-t-il, sur le seuil, comme s'il ne se croyait plus autorisé à entrer. Natalie ? Où es-tu ?

— Ici ! répondit-elle. Déplace-toi, si tu as quelques regrets à formuler... Je suis occupée !

Il entra dans l'immense salle de bains, le dossier toujours en main. L'endroit était impeccable. Elle y avait passé un bon moment, dans la matinée.

Il ne parut pas s'en apercevoir, cependant. Il semblait à la fois ébahi et inquiet... et il était si beau qu'elle dut s'asseoir sur le rebord de la baignoire pour que ses genoux ne la trahissent pas.

— Natalie ! Qu'est-ce que tu as fait ?

— Je me suis libérée de ma charge ! répondit-elle gaiement. J'ai cédé le *Pavillon d'Eté*, ainsi que quatre-vingt-dix pour cent de mon héritage à la municipalité de Firefly Glen. En échange, ils se chargeront de tous les impôts, de l'entretien et des travaux de restauration.

Elle lui sourit d'un air ingénu.

— Je suis gagnante, dans l'affaire, tu ne trouves pas ?

Matthew vint s'asseoir à côté d'elle, sur le marbre frais.

— Enfin, Natalie... C'est ta propriété !

— Plus maintenant ! Dès le 1er septembre, cet endroit appartiendra officiellement à la Fondation pour la restauration des monuments historiques de Firefly Glen. La propriété sera ouverte au public cinq jours par semaine et louée à des sociétés ou pour des mariages. Par ailleurs, elle deviendra un lieu d'excursion et de recherche pour les étudiants en histoire. Je conserve ma pépinière, bien entendu. Cependant, je vais devoir commencer à chercher un appartement.

Matthew continuait de feuilleter le document, comme s'il ne parvenait toujours pas à croire ce qui y était consigné.

— Quand ? Ça ne s'est pas passé en deux jours, tout de même ! Quand as-tu pris cette décision ?

— Ça fait des semaines que j'envisage de postuler pour le classement du *Pavillon d'Eté* en monument historique. Depuis que j'ai renoncé à épouser Bart, en fait. Je me suis vite aperçue que des mesures s'imposaient et j'ai commencé à envisager la chose.

— Tu es vraiment sûre de toi, Natalie ? Tu ne crois pas que c'est un peu… radical ?

Pour toute réponse, elle se mit à rire et, se penchant en avant, se mit à essuyer soigneusement le pommeau du Jacuzzi en forme de serpent, jusqu'à ce qu'il brille.

Cela pourrait toujours servir… plus tard.

Levant la tête, elle lui sourit de nouveau.

— Si tu réfléchis bien, ce n'est rien, comparé à ce qu'aurait signifié, pour moi, d'épouser Bart… Je dirais même que c'est tellement plus malin que je suis étonnée de ne pas y avoir pensé plus tôt !

— Et ça…, demanda-t-il en brandissant le dossier. Tu es certaine d'avoir toutes les garanties ?

— Evidemment. C'est Parker qui a rédigé ce dossier, il y a une semaine environ, et Stuart, qui, comme tu le sais, est conseiller municipal, a accepté de présenter le projet à ses pairs. Ça n'a pas été sans mal et je peux t'assurer qu'il a dû insister lourdement… Certains membres du conseil étaient plus que réticents à investir les sommes nécessaires. J'ai même été obligée de fournir des tonnes de preuves attestant que le *Pavillon d'Eté* possède une architecture unique et une valeur historique tout à fait exceptionnelle, pour qu'ils acceptent enfin…

Matthew hocha lentement la tête. Il commençait visiblement à comprendre.

— C'était donc ça, toutes ces heures à la bibliothèque municipale… Et ces journées entières, dans le grenier à fouiller dans ces documents poussiéreux…

— Exactement… Et une fois que j'ai eu terminé mes recherches, tu sais ce qui m'a aidée à conclure l'affaire, en fin de compte ?

Matthew secoua la tête.

— La découverte du casino ! Ce n'était pas totalement innocent de ma part, que d'inviter l'ensemble du conseil municipal à la soirée… Ni même de leur laisser choisir leur table de jeu !

Matthew ne put réprimer l'esquisse d'un sourire.

— Tu avais déjà cette idée derrière la tête ?

— Je t'avais bien dit que les Granville n'étaient pas aussi ingénus qu'ils en avaient l'air, répondit-elle en soupirant. Enfin… Toujours est-il que ce casino secret, datant des Années folles, a apporté à l'ensemble de la propriété la petite touche de prestige qui lui manquait. A présent, même ce grippe-sou de Mayor Millner est convaincu que le *Pavillon d'Eté* peut attirer des flots de visiteurs et de touristes plus nantis les uns que les autres… La décision doit être votée à la prochaine assemblée plénière, et nous nous attendons à l'emporter, à l'unanimité.

Matthew pressa deux doigts au coin de ses yeux, comme si la lecture du dossier lui avait donné mal à la tête.

— Je n'arrive tout simplement pas à y croire, Natalie. Tu adores cette maison. C'est ce qui compte le plus au monde, pour toi !

Elle le regarda droit dans les yeux.

— Non, Matthew, murmura-t-elle. Plus maintenant.

Ses yeux le brûlaient.

— Natalie, je…

— A propos ! lança-t-elle en se levant pour s'emparer des huiles de bain. Tu ne me dois pas quelques sérieuses excuses, toi ? Tu ne crois pas que tu pourrais me dire à quel point tu es désolé d'avoir nourri de tels soupçons à mon propos ?

— Je n'ai pas…, commença-t-il.

— Bien sûr que si !

Elle brandit son éponge vers lui, en un geste faussement menaçant.

— J'ai bien vu la façon dont tu regardais Stuart ! Je sais ce que tu as pensé !

— Tu en es sûre ?

— Oui. Tu t'es dit que je m'étais dégoté un autre milliardaire… Tu as pensé que je m'étais laissé acheter par un homme que je n'aime pas d'amour, pour quelques misérables millions de dollars. Et tu as pensé que j'avais fait tout cela, deux jours seulement après que toi et moi…

— Pas vraiment, coupa-t-il doucement. J'ai eu peur, c'est tout.

— En tout cas, ce n'est pas très flatteur pour moi et j'espère que tu es affreusement désolé !

— Je le suis ! Tellement que je serais bien incapable de te dire à quel point… Je suis désolé pour cela… et pour tout le mal que j'ai pu te faire.

Elle tourna le robinet et vérifia la température de l'eau, de la paume de la main. Tout en ajoutant un peu d'eau chaude, elle eut un regard noir.

— Si jamais c'est pour vendredi soir, que tu t'excuses, je te tue !

— Pas du tout ! Je ne regrette absolument pas notre… Enfin, tu sais… C'était… divin.

De nouveau, elle tourna la tête vers lui.

— Tu sais, si tu m'embrassais, là, tout de suite, cela m'aiderait sans doute à te pardonner.

Malgré tout, il ne semblait pas décidé à bouger d'un pouce.

Bon sang, quelle tête de mule ! Il la laissait faire tout le travail !

Enfin… Il en valait la peine, et elle décida de jouer le jeu.

Aussi, se relevant, elle s'avança vers lui.

— Et la moindre hésitation de ta part risque de gâcher ta performance !

Matthew la dévisagea.

— Je ne veux pas que tu commettes une erreur que tu regretterais pour le restant de tes jours. Je n'ai toujours rien à t'offrir. Je repars de zéro, dans tous les domaines… Cela risque de ne pas être facile. Et puis il y a cette propriété. Elle…

Il lui effleura la main.

— Quoi que tu en dises, je sais combien tu y es attachée. Elle renferme toute ton histoire familiale…

— Je m'en sens responsable, répondit-elle calmement. Pas amoureuse. L'amour est une chose totalement différente. Tu ne comprends donc pas, Matthew ? L'amour, c'est le présent et l'avenir… Pas le passé !

L'attirant à lui dans un soupir, il pressa son visage contre son ventre. Et elle sentit une chaleur délicieuse l'envahir, juste là où la joue de Matthew touchait sa peau.

Elle lui passa les doigts dans les cheveux.

— Tu sais quoi ?

— Quoi ? demanda-t-il en levant les yeux.

— Si nous ne nous dépêchons pas, la baignoire va déborder.

Se détachant d'elle, il jeta un rapide coup d'œil vers l'eau chaude, délicieusement parfumée, qui montait dans le bac.

— C'est ça que tu manigançais ? Tu nous faisais couler un bain ? J'étais persuadé que tu avais oublié de retirer le bouchon !

Pour toute réponse, elle se débarrassa de son T-shirt. Elle ne portait pas de soutien-gorge…

— Tu sais ce que va être notre plus gros problème ? demanda-t-elle, la voix étouffée par le tissu.

Comme il ne répondait pas, elle poursuivit :

— Ça va être toi, si tu t'entêtes à considérer les Granville comme une joyeuse bande d'hurluberlus… Croyez-moi, monsieur Quinn… Quand je remplis une baignoire comme celle-ci d'eau chaude et d'huiles aphrodisiaques, ce n'est pas par accident…

— Je vois, dit-il, les yeux brillants.

Elle adorait ses yeux, et elle fut parcourue d'un petit frisson en songeant à l'ampleur de son amour pour cet homme.

Tout. Elle aimait tout en lui.

— Et peux-tu me dire pourquoi nous prenons un bain, au juste ?

Elle le considéra d'un air sévère.

— Tu ne voudrais pas me faire l'amour avant que j'aie pris un bain, tout de même ?

— Si. En fait, j'adorerais cela !

Elle fit glisser son short, le laissant tomber à ses pieds.

— Dans ce cas, tu ferais bien de te déshabiller. Parce que moi, j'entre dans l'eau.

Sur ce, elle retira son slip, mit un pied dans le liquide tiède et se laissa glisser dans l'eau, jusqu'au menton.

Elle avait volontairement omis d'ajouter des bulles : elle ne voulait pas perdre une miette du tableau. Appuyant sur le bouton du Jacuzzi, elle le mit en route et se mit à rire, ravie.

— Je me demande comment nous avons fait pour passer à côté du potentiel de cette merveilleuse baignoire, l'autre soir ! Quand tu penses à ce que nous sommes arrivés à faire dans le fauteuil…

Alors il se pencha vers elle et l'embrassa, avec une telle fougue qu'elle se sentit délicieusement enivrée.

… Et soupira lorsqu'il se dégagea.

— Matthew… Tu vois ces jets d'eau ? Tu sais quel effet ils peuvent faire à une femme dans mon état ? Si tu ne te dépêches pas de venir me rejoindre, je risque de ne pas avoir besoin de toi, après tout !

Mais il savait qu'il n'en serait rien et il ne se laissa pas impressionner.

Toujours vêtu, il s'agenouilla à côté de la baignoire. Puis il plongea une main dans l'eau et la fit glisser contre la jambe de Natalie, remonter le long de son corps, et redescendre.

L'huile avait rendu l'eau légèrement soyeuse et, de nouveau, la jeune femme frissonna.

C'était d'un érotisme insupportable. Comment avait-elle pu penser une seconde qu'elle parviendrait à rester maîtresse d'elle-même, en ce moment tant attendu ? Elle aurait dû savoir qu'il transformerait toutes ses tentatives de séduction en un acte étrange, mystérieux et sensuel en diable…

Elle avait décidément encore beaucoup à apprendre.

— Je t'aime…, murmura-t-elle d'une voix rauque, sous l'emprise de ses caresses. J'ai tellement souffert, quand tu m'as quittée…

— Je suis là, dit-il tout bas. Je suis là, à présent.

— Oui, renchérit-elle. Oui. Tu es là.

Aussitôt, il fit remonter sa main et lui prit le menton entre ses doigts humides.

— Natalie... Pourquoi ne m'as-tu pas parlé de ton projet ? Tu te rends compte que nous avons vraiment failli nous perdre ?

— Jusqu'à ce matin, je n'étais pas certaine de la réponse de la municipalité.

Lui prenant la main, elle la refit glisser sous l'eau. A présent qu'il avait commencé à la caresser, elle ne pouvait supporter l'idée qu'il s'arrête.

— Mayor Millner n'a cessé de souffler le chaud et le froid... Il refusait de s'engager définitivement. Je ne pouvais vraiment pas t'en parler avant d'être sûre que cela marcherait. Je n'aurais pu supporter une nouvelle séparation, vois-tu... Alors je voulais être sûre...

Emue, elle s'interrompit, le temps de reprendre son souffle.

— Je n'étais même pas convaincue que si je trouvais une solution pour le *Pavillon d'Eté*, tu me reviendrais. J'espérais, bien sûr, que c'était tout ce qui nous séparait, mais comment aurais-je pu en être certaine ? Après tout, tu n'as jamais prononcé les mots, Matthew ! Jamais tu n'es venu vers moi pour me dire, tout simplement, que tu m'aimais !

— Je t'aime, dit-il, d'une voix enrouée d'émotion. Dieu sait si je n'en ai pas le droit... mais je t'aime, de tout mon cœur.

Natalie sentit toute tension se relâcher en elle, et laisser place à une sérénité sans pareille. Elle avait tant attendu cette déclaration !

— Matthew..., commença-t-elle.

Mais il avait encore à dire le plus important.

— Epouse-moi, Natalie. Et recommençons ensemble.

Une seconde, elle se demanda si elle ne rêvait pas. Puis, posant doucement la tête sur le bras de Matthew, elle laissa échapper un soupir d'intense félicité.

— Jamais je n'aurais pu épouser un autre homme… Je t'ai attendu toute ma vie, sans le savoir.

— Natalie, ajouta-t-il sombrement. Je ne sais pas quel genre de vie je suis en train de te proposer. Je ne sais même pas où nous vivrons, ni comment… La seule chose que je peux te promettre, c'est de t'aimer. Jamais tu ne manqueras d'amour… Je te le jure.

Elle leva enfin les yeux vers lui.

— Pourquoi ne pas rester ici ? Nous n'y sommes pas obligés, bien sûr… Pas si cela te chagrine. Toutefois, ma pépinière marche plutôt bien et les gens ont vu ce que tu vaux et ce que tu sais faire, en matière de travaux. Parker me disait encore l'autre jour qu'il regrettait de ne pas pouvoir te demander conseil pour la rénovation de son cabinet d'avocat…

Matthew eut un petit sourire. Il était évident que, pour le moment, il n'avait que faire de Parker et de ses soucis d'agencement.

Elle non plus, d'ailleurs !

— Nous vivrons là où tu veux. Et si c'est à Firefly Glen, il se pourrait que Granville et moi finissions par botter les fesses de Jocelyne Waitely !

— Ça m'est bien égal ! pouffa Natalie. Tant que vous m'invitez à le faire avec vous !

Il l'embrassa de nouveau et elle sentit l'intensité des émotions qui l'habitaient. Elle savait ce qui se passait en lui… Elle ressentait la même chose : de la joie, mêlée à l'incrédulité la plus totale… Une soif d'amour et un désir absolu… Et une toute petite peur.

— J'ai bien failli partir, reprit-il d'une voix triste. Même au dernier moment, j'ai bien failli ne pas bifurquer. Et continuer devant moi… Dieu seul sait où j'aurais atterri !

— Ici, bien sûr, répondit-elle, s'efforçant de s'en convaincre elle-même.

Toute autre éventualité lui paraissait si inconcevable…

— Nous étions faits pour être ensemble…

— Même moi, je ne savais pas où j'allais, Natalie ! Tu ne m'aurais jamais retrouvé !

Elle ferma les paupières, immergeant ses cheveux dans l'eau tiède.

— Peut-être… Seulement, toi, tu savais où me trouver. Un jour ou l'autre, tu me serais revenu. Tes pas t'auraient ramené vers moi. Tu n'aurais pas réussi à rester loin. Un jour, j'aurais levé le nez de mes plantes, et je t'aurais vu, à l'entrée de ma pépinière…

— Ça me paraissait bien risqué, tu sais…

Natalie lui sourit.

— J'avais un filet de sécurité, Matthew… Pour tout te dire, tu n'aurais pas pu sortir de Vanity Gap… Le shérif t'attendait au bout de la route…

Matthew se figea. Il la dévisagea, l'air totalement incrédule.

— Le shérif ?

— Quand on y songe, ça aurait été drôlement marrant ! expliqua-t-elle en fronçant le nez. Imagine que quelqu'un l'ait vu… Ça aurait fait la une de la *Gazette de Firefly Glen*, tu ne crois pas ?

— Peux-tu m'expliquer pourquoi Dunbar m'aurait attendu ?

— Eh bien… Vois-tu… Je lui ai expliqué que je risquais de mourir de chagrin si jamais tu quittais la ville sans avoir appris que j'avais passé cet accord avec la municipalité. Harry est un de mes meilleurs amis, tu sais… Aussi n'ai-je pas hésité à lui dire à quel point c'était important pour moi.

Elle l'observait à travers ses paupières mi-closes.

— Et pour faire bonne mesure, je lui ai affirmé que tu m'avais pris quelque chose…

Matthew hésita un instant et éclata de rire.

— Espèce de diablesse, rugit-il.

Et il se mit à l'éclabousser sans merci.

— Diablesse, peut-être, reconnut-elle, cependant, tu dois bien reconnaître qu'il fallait y penser !

En désespoir de cause, il secoua la tête.

— Comment as-tu pu me faire une chose pareille ? Alors que, déjà, ton équipe de protection rapprochée était plutôt soupçonneuse à mon égard… A présent, ma réputation est faite, non ?

Matthew ne semblait pas vraiment contrarié. Il savait qu'elle plaisantait… Et il avait cessé de se froisser à la moindre évocation de son passé.

Ravie, elle songea qu'il était redevenu lui-même. Entier, fort…, comme elle le voulait.

Son regard était chaleureux et confiant. Et il était prêt à jouer le jeu.

— A présent que tu as terni mon nom, Natalie, nous n'avons plus le choix : nous devons quitter Firefly Glen. Personne ne croira jamais que je ne suis pas un voleur sans foi ni loi…

— A juste titre, monsieur Quinn ! Car vous êtes un voleur !

Là-dessus, elle tendit la main et, se saisissant du col de sa chemise, l'attira doucement vers elle.

Elle ne pouvait attendre une minute de plus.

— Vraiment ?

Tout comme il l'avait fait durant leur partie de bras de fer, il la laissa gagner. C'est à peine si elle tirait, et pourtant il descendait vers elle, une lueur brûlante, terriblement excitante dans les yeux.

— Et que suis-je censé vous avoir dérobé, au juste, mademoiselle Granville ? N'oubliez pas que vous m'avez juré sous serment que votre virginité vous avait été prise par un dénommé Donnay Fragonard…

— Vous n'avez pas encore deviné ? demanda-t-elle. C'est pourtant simple ! Vous êtes l'homme qui a volé mon cœur, cher monsieur…

Et leurs lèvres s'unirent, provoquant en eux un nouveau frisson, chargé de promesses.

Chère lectrice,

Vous nous êtes fidèle depuis longtemps?
Vous venez de faire notre connaissance?

C'est pour votre plaisir que nous avons imaginé un rendez-vous chaque mois avec vos auteurs préférés, vos AUTEURS VEDETTE *dans les collections* Azur *et* Horizon.

Les AUTEURS VEDETTE *vous donneront rendez-vous pour de nouveaux livres vedette.*

Pour les reconnaître, cherchez l'étoile... Elle vous guidera!

Éditions Harlequin

LE FORUM DES LECTEURS ET LECTRICES

CHERS(ES) LECTEURS ET LECTRICES,

VOUS NOUS ETES FIDÈLES DEPUIS LONGTEMPS?

VOUS VENEZ DE FAIRE NOTRE CONNAISSANCE?

SI VOUS AVEZ DES COMMENTAIRES, DES CRITIQUES À FORMULER, DES SUGGESTIONS À OFFRIR, N'HÉSITEZ PAS… ÉCRIVEZ-NOUS À:

LES ENTERPRISES HARLEQUIN LTÉE.
498 RUE ODILE
FABREVILLE, LAVAL, QUÉBEC.
H7R 5X1

C'EST AVEC VOS PRÉCIEUX COMMENTAIRES QUE NOUS ALLONS POUVOIR MIEUX VOUS SERVIR.

DE PLUS, SI VOUS DÉSIREZ RECEVOIR UNE OU PLUSIEURS DE VOS SÉRIES HARLEQUIN PRÉFÉRÉE(S) À VOTRE DOMICILE, NE TARDEZ PAS À CONTACTER LE SERVICE D'ABONNEMENT; EN APPELANT AU (514) 875-4444 (RÉGION DE MONTRÉAL) OU 1-800-667-4444 (EXTÉRIEUR DE MONTRÉAL) OU TÉLÉCOPIEUR (514) 523-4444 OU COURRIER ELECTRONIQUE: AQCOURRIER@ABONNEMENT.QC.CA OU EN ÉCRIVANT À:

ABONNEMENT QUÉBEC
525 RUE LOUIS-PASTEUR
BOUCHERVILLE, QUÉBEC
J4B 8E7

MERCI, À L'AVANCE, DE VOTRE COOPÉRATION.

BONNE LECTURE.

HARLEQUIN.

VOTRE PASSEPORT POUR LE MONDE DE L'AMOUR.

Composé et édité par les
éditions Harlequin
Achevé d'imprimer en mai 2005

à Saint-Amand-Montrond (Cher)
Dépôt légal : juin 2005
N° d'imprimeur : 50980 — N° d'éditeur : 11321

Imprimé en France